Soy gajo de árbol caído
que no sé dónde cayó.
¿Dónde estarán mis raíces?
¿De qué árbol soy rama yo?

Copla popular colombiana

Soy la bisnieta de la hechizada, y también la bisnieta del armador de dornas de Porto do Son que una noche de tormenta desafió al diablo.

Soy la nieta de Ramón, quizá buen músico pero mal campesino, agnóstico y fumador incontinente, que se dejó administrar los últimos sacramentos sólo para que no murmurasen de su mujer y de sus hijos las malas lenguas.

Soy la nieta de Rosa, que trajo de Buenos Aires dos baúles colmados de ropa de cama y de fina mantelería, con encajes parecidos a los de Camariñas, y juegos de cubiertos bañados en plata que le robaron las cuñadas envidiosas, unas casadas y la otra soltera, a quien le faltaban bienes y le sobraban desdichas.

Soy la sobrina de Rafaeliño, el bígamo, que escondió bajo su nombre de arcángel y los ojos de cielo desteñido, dos matrimonios completos, ambos con hijos, por lo civil y por la iglesia, a uno y otro lado del océano.

Soy la hija remota de aquellos que hace siglos se desgarraron de Corcubión y de la Costa da Morte, y peregrinaron hacia las *Rías Baixas*, enloquecidos por el azote del mar en los acantilados del fin de la tierra, la piel como una costra de sal y de algas duras que luego se iría deshaciendo lentamente bajo las lluvias dulces de los valles.

Soy la hija inmediata de Antón, el rojo, que perdió el alma en su vejez, y se escapaba por las noches de invierno, semidesnudo y descalzo, a pescar truchas imposibles en un jardín de las afueras de Buenos Aires, y se veía en las gotas heladas del rocío como se había visto en las aguas del río Coroño, con su cara de niño.

También, por el lado de mi madre, soy la bisnieta de doña Adela (los labios rojos y la mantilla blanca) y del capitán andaluz, que murió en la guerra de Cuba defendiendo los últimos restos del Imperio.

Soy la nieta de su hijo el pintor, que no pasó de copiar inútilmente al Greco, y se ganó el pan decorando con rositas rococó las salas de recibo de sus clientes burgueses. Él, que fue amado por todas las mujeres para desdicha de la suya, era infiel, pero muy bueno. Desbordaba de amor —decían sus defensoras— de puro generoso.

Soy la sobrina de Adolfo, el artista de varieté, que adoraba a Bing Crosby y a Buster Keaton, y que hubiera dado la mitad de su mala vista por nacer en Nueva York y no en Madrid.

Soy la hija de Ana, la bella, que jugaba a ser Hedy Lamarr, o Rita Hayworth, y que no hubiera dado un ápice de su belleza por nada del mundo, aunque siempre sufrió obstinadamente por carecer de fortuna, así como de habilidades lucrativas que acompañasen con alguna ventaja el vano resplandor de tanta hermosura.

Vengo de ésas, de ésos, como quien viene de tantos lugares que ha perdido la memoria de ellos y sólo lleva en el cuerpo la huella oculta de olores, sabores y sonidos y el eco, aún ardiente, de historias imprecisas. Esas historias quemadas a medias, en un rapto de vergüenza, como si fuesen papeles inconfesables, esas historias son como el tesoro perdido en un mar pirata y voy buscándolas sin brújula, con un mapa incompleto y ambicioso.

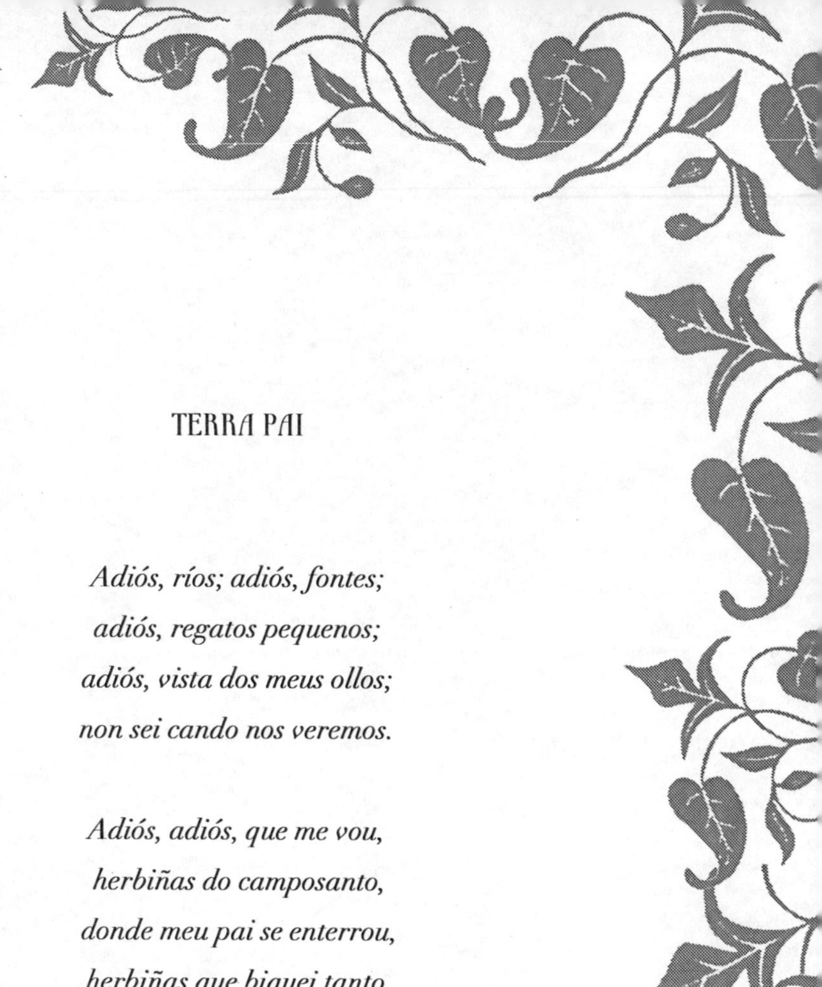

TERRA PAI

Adiós, ríos; adiós, fontes;
adiós, regatos pequenos;
adiós, vista dos meus ollos;
non sei cando nos veremos.

Adiós, adiós, que me vou,
herbiñas do camposanto,
donde meu pai se enterrou,
herbiñas que biquei tanto,
terriña que vos criou.

Rosalía de Castro (*Cantares galegos*)

La hechizada

Mi tío Suso la recuerda bien. Se sentaba en la cocina, flaca y derecha, siempre cerca de la *lareira*, y siempre seria. Él, aunque era aún un niño, le llevaba la leche con trocitos de pan que la abuela levantaba con la cucharita, uno por uno, como las palomas comen el grano.

Doña Maruxa requería cuidados especiales, como si fuese una niña vieja y un poco deficiente. Es que años atrás, en su casi madurez, cuando sus muchos hijos vivían aún, solteros, en la casa paterna, había estado hechizada.

Al principio no se sabía que su mal fuese hechizo. Todo empezó con un enfriamiento, después de una romería. Doña Maruxa, que aún no era abuela, sino sólo madre, cayó en cama. La frente y el cuerpo le hervían como una piedra donde se acabasen de asar castañas, los brazos se le agarrotaban como aspas de molino y sólo la leche recién ordeñada y unas sopas de vino con especias le pasaban por la garganta. Las vecinas le aplicaron cataplasmas y sinapismos, hasta que empezó a toser y se le limpió el pecho. Poco a poco le bajaron las fiebres y el cuerpo entero se le puso blanco, suave y pulido, como si fuese todo él de leche tibia.

Nunca había estado más lozana.

En la cara pálida le asomaron colores que parecían claveles de maquillaje y los ojos azules alumbraban la oscuridad, como cristales secretamente encendidos por una brasa. Nadie supo qué pasaba en el cuarto aquellas noches, cuando se apagaban todos los ruidos de la casa y solamente los ojos y la trenza rubia y la camisa de dormir con un ribete de encaje relucían y encantaban en la quieta penumbra. ¿Es que Benito, el bisabuelo, abrazaría despacio aquellas formas claras, con tanta dulzura como si temiera quemarse?

Por las mañanas —notaron los hijos— el padre se despertaba de buen humor, con el aliento perfumado de los que han bebido licor de menta o han comido pasta de almendras. Tarareaba unos aires de Rianxo mientras se lavaba las manos y la cara, y aunque el trabajo era tan duro como todos los días, parecía ir liviano, como si no llevase zuecos sino zapatos de fiesta.

Sólo un detalle por demás alarmante persistía. Cuando doña Maruxa se incorporaba e intentaba caminar, las piernas, que sin embargo podían moverse discretamente bajo las sábanas, perdían todo tino y control, se desbarataban y caían, inertes, y el bisabuelo, o uno de sus hijos, si estaba a mano, levantaba esos huesos frágiles, súbitamente de plomo, y arropaba a la enferma, recostándole la cabeza sobre las almohadas.

Con la madre en cama, se multiplicaban las tareas. Lavar, planchar y cocinar, barrer y fregar, asear los establos, preparar el pienso para los animales, ordeñar las vacas, buscar el *toxo* que prospera mejor sobre la curva del cerro, más las acostumbradas labores del campo. Todo caía ahora en las manos no siempre bien dispuestas del padre y de las hijas y de los hijos menores. La madre en cama era un adorno inadecuado, tan respetable como incómodo, que solamente producía otros adornos: visillos, cortinitas, mantelitos de crochet, elegantes fundas de almohadas que pronto empezaron a sobrar en los austeros rincones de la casa rural.

Si las vecinas ayudaron al principio, no tardaron en cansarse. Tenían sus casas, sus hijos, sus maridos, sus vacas, sus propias tierras menesterosas. Recomendaron más hierbas y otros sinapismos para las piernas antojadizas y se fueron alejando hasta desvanecerse por el sendero que llevaba al interior del valle.

Sólo alguna, ya solterona y acaso esperanzada en el pronto tránsito de la enferma hacia un mundo mejor y sin trabajos, demoró más en marcharse. Hasta que también ella decidió dejar a la familia en pena, y a la mujer obstinada en vivir tullida. El resplandor de la cara, los brazos llenos y redondos bajo el lino de los camisones, desalentaban a cualquiera.

El médico —caro y traído de Santiago— ya había entrado sin éxito a la casa. Después de beber dos tazas de caldo y de comer un bollo de pan tibio para reponerse del viaje, auscultó minuciosamente a la enferma. Le tocó las rodillas con un martillito inquisidor, la mandó toser y respirar profundo, le miró el fondo de la pupila transparente y las entretelas rosadas de la garganta, le golpeó el pecho y la espalda y le hizo flexionar todas las articulaciones.

Tuvo luego una breve y decepcionante conferencia con el padre, mientras despachaban sendas copitas de *oruxo*.

—¿Qué dice usted, doctor? ¿Qué tiene mi mujer?

—Pues la verdad sea dicha, amigo, yo no le encuentro nada.

—¡Pero si no puede moverse! ¡Si se cae cuando intenta dar dos pasos! ¿Cómo es posible que una mujer trabajadora y sanísima, que ha tenido uno tras otro siete hijos, haya venido a parar en esto?

—Siete hijos son muchos hijos. A veces hasta las mejores se cansan.

—Más hijos tuviera mi madre. ¿Y no vive aún, sin un catarro y con más de ochenta? Menos mal que está ahora con una hermana en Lugo, y no aquí para ver esto.

—Menos mal, seguramente —suspiró el médico—. Supongo que no sería grato para ninguna de las dos.

—Muy bien, ¿pero yo qué hago?

—Esperar. No hay dolencia que no tenga remedio. Pero el remedio de ésta no depende de mí.

Furioso con el médico, que le había costado sus buenos cuartos, don Benito, aunque sólo creía en la ciencia diplomada, decidió finalmente consultar a una *meiga*, a la que llamaban doña Bibiana, la más famosa de cuantas ejercían en los alrededores. Bien establecida, con una criadita, muebles de roble, y una casa junto al camino.

Tuvo que ir a buscarla en carro hasta la parroquia de Cures. Era una mujer menuda, vestida de negro, canosa, limpia. Le cruzaba el pecho una pañoleta de lana fina, gris perla, con bordados y muchos flecos. Dos zarcillos antiguos de plata y azabache pendían de los lóbulos.

"Mejor se vive de la brujería que de las malas cosechas", resopló mi bisabuelo para sí, mientras la acomodaba junto a él en el pescante.

—No murmures del que gana su pan con honradez, sirviendo a Dios y al prójimo —dijo de pronto la *meiga*, tocándose el crucifijo que le colgaba del cuello, como si hubiese oído sus malos pensamientos.

—Nada murmuré yo, señora —contestó Benito, dándose por ofendido. Pero se quedó lo más callado posible durante el resto del viaje, tratando de pensar solamente en llevar bien las riendas del caballo.

Cuando llegaron, la *meiga* pidió agua para lavarse las manos. Se la trajeron, en una palangana sin desportillar, y le acercaron para secarse un paño blanquísimo, bordado en punto cruz.

Lo primero que hizo, antes de revisar a la enferma, fue mirar la casa. Todo relucía en un orden estricto, casi hiperbólico.

—¿Quién está a cargo, ahora que enfermó la madre? —preguntó, aunque lo imaginaba.

—Yo —dijo la misma muchacha que le había acercado el agua.

—¿Cómo te llamas?

—Felicidad, para servir a usted.

La cara no casaba con el nombre. Era larga y amarga, joven y poco agraciada.

—¿Cuántos años tienes? ¿Ya te han pedido?

—Cumplí los dieciocho. ¿Pero quién va a pedirme? Así como están las cosas, ¿a quién se le ocurriría? ¿Qué sería de esta casa y del padre si yo me fuese? —contestó abruptamente.

Don Benito se miraba los zuecos, y asentía compungido.

"Nadie te ha de pedir, con madre enferma o sana —pensó acaso la *meiga*— mientras pongas esa cara y tengas esos modos".

Dijo otra cosa:

—Siempre habrá un hombre bueno que se avenga a venir a esta casa y ayudarte. Y tu padre tendría en él otro hijo. Pero quizá tu madre se cure pronto.

—Dios la oiga —ladró, sordamente, Felicidad.

La *meiga* se encerró con la madre en el dormitorio. Don Benito, por dignidad y acaso por temor, se mantuvo lejos de la puerta, aunque la consulta amenazaba durar toda la tarde.

La hermana menor, Isolina, que era una niña, se quedó adherida a la pared de su cuarto, que daba al de los padres, para escuchar las ráfagas de voces filtradas a veces por las rendijas de la piedra.

"... estamos en un carril, mujer, cada uno en el suyo. Y no se puede escapar hacia atrás. La única salida está en seguir caminando." "... para qué. Pronto me pondré como una pasa, harta de todo, sin haber visto más mundo que cuatro fanegas de tierra...", "pues quién tiene la culpa... no tus hijos, ni tus hijas...", "no quiero, hasta aquí llegué", "eres tú la que te has metido presa", "mejor así que cuando andaba de un trajín en otro".

Esas cosas dijo que oyó Isolina, pero no las contó a nadie entonces, y quedaron oxidadas en un rincón de la memoria, y les crecieron por encima el musgo verde y la tupida hierba, a tal punto que cuando decidió desenterrarlas ya no sabía si eran ciertas, o si eran las que ella misma hubiese dicho de haber estado en el lugar de la madre.

El padre, que había ido y vuelto varias veces del campo, abordó a la *meiga* ansiosamente cuando la vio salir, por fin, mientras el sol se oscurecía sobre el horizonte como el caramelo al fuego.

—¿Y qué dice usted señora? ¿Qué es lo que tiene?

—Un mal de las mujeres que los hombres no padecen ni entienden.

—¿Pero se cura?

—Lo sabrá Dios. Mejor dicho, lo sabrá ella.

—¿Cómo que lo sabrá ella? ¿Y yo qué haré entretanto?

—Cuídala como hasta ahora. No lo hiciste tan mal. Bien gorda y lustrosa se puso.

—Pues con eso no arreglamos nada. Es mi mujer, no una vaca.

—A veces los hombres atienden mejor a las vacas que a sus propias mujeres —apuntó la *meiga*, no sin sorna.

El bisabuelo Benito, que era hipertenso aunque lo ignoraba (como que murió de un ataque de apoplejía), empezó a colorearse de rojo subido.

—No lo digo por acusarte —lo aplacó la *meiga*—. Ya sé que no eres un mal marido y que ella te quiere. Y hazme caso: disfruta de esta situación mientras te dure y tu mujer esté tan guapa. ¿O no tiene también su lado bueno?

Benito se puso más rojo aún, porque estaban sus hijas presentes. Sin decir palabra, casi empujó a la *meiga* deslenguada fuera de la casa y la subió al pescante. La visita les costó un lechón, y varios mantelitos del crochet más fino.

Los meses fueron pasando. Si no hubiese sido por los gritos destemplados de Felicidad, que comandaba a los hermanos como un sargento de instrucción, el nuevo orden podría haber resultado, acaso, mejor que el anterior. Las fundas y cortinillas superfluas que Maruxa seguía labrando para entretenerse, cada vez con diseños más sutiles, probaron ser un buen negocio, primero ofrecidas y vendidas en las ferias de Boiro y de Noia, y luego, hasta solicitadas desde Santiago.

Acostumbrado a lo insólito, Benito pensaba en lo que había sido la vida llamada normal únicamente cuando a otro se le ocurría recordárselo.

—¿Cómo sigue Maruxa? —le preguntó una mañana su compadre, cuando lo vio arando el campo.

—Igual. De traza, muy bien. Pero no da dos pasos juntos. Los muchachos y yo la levantamos en vilo para que tome un poco el aire, y las niñas hagan la cama y ventilen la habitación.

—Es que tú no llamaste a quien corresponde.

—¿Cómo que no? Si vinieron el médico de Santiago y la *meiga* de Cures y ninguno diera pie con bola.

—Porque está *embruxada*. Los médicos no entienden de eso, y la *meiga* no tiene poderes suficientes.

—Anda hombre, no me vengas con esas músicas.

—Pues te digo que por aquí sólo hay uno que puede deshacer tales entuertos, y es el cura de san Amaro. Vete a buscarlo para que la vea.

—¿Y qué me cobrará ese santo varón?

—Seguramente menos que los otros. Dicen que le gusta el vino de Ribeiro, aunque no lo toma los días que da la misa.

Perdido por perdido, el bisabuelo fue a traer al párroco. La primera visita fue sencilla y sin mayor protocolo. Don Evaristo se había vestido con su sotana corriente, como cuando salía a la calle los días de semana. Ya iba para viejo y las canas comenzaban a rendirle un capital creciente de respeto. Era el hijo único de una campesina y decían que de un cura pecador. Ya que éste no podía legarle al niño ni nombre ni fortuna, lo había puesto, al menos, en el camino seguro de una profesión rentable.

Don Evaristo aceptó gustoso el vino de Ribeiro que le sirvieron, acompañado por unas lonchas de jamón. También, como la *meiga*, miró bien la casa y el ceño fruncido de Felicidad, pero no inquirió nada y pidió ver a la enferma. Lo sentaron en una silla con cojín, al lado de la cama.

—¿Cómo estás, hija mía? —le preguntó mientras le daba a besar el rosario bendecido en la Catedral de Santiago.

—Aquí me ve usted, mi padre.

—Dios aprieta pero no ahoga.

—Pues a los pobres siempre nos ahoga un poco más.

—Más pobres los hay que tú, y todos somos pobres en algo, hasta los de casa rica. Bien sabrás, hija mía, que no hay plazo que no se cumpla, ni deuda que no se pague.

—Bien lo sé, padre mío. En esta casa pagáronse siempre todas las deudas. ¿Pero qué tiene eso que ver conmigo?

—Que no hay mal que cien años dure. Que también se acabarán, en algún momento, tu enfermedad y tu penar.

—¿Con la muerte?

—No hay por qué. Pudiera ser mucho antes.

—Podrá acabarse la enfermedad, pero el penar...

—La vida no es sólo penas.

—Todo depende. A veces las enfermedades mismas nos hacen olvidar el mal de vivir.

Don Evaristo y doña Maruxa se miraron un momento a los ojos, midiéndose de poder a poder. Don Evaristo veía una amazona astuta de pechos cubiertos, cuyas lanzas eran agujas de crochet. Doña Maruxa, un zorro de pelaje oscuro y zarpas de felpa gruesa, capaz de robarse la mejor gallina de un gallinero, sin que ladrasen perros ni cantase el gallo.

—¿No te parece, hija, que sería una merced señaladísima, si por mi mano quisiera el Señor hacer el milagro de curar tu mal? Podrías volver al mundo y a la vida, pero tanto mejor que antes. Ya no serías una mujer cualquiera, sino aquella sobre la que Dios obró un milagro.

—Me parece que más mérito, gloria y beneficio le traería eso a usted, que sería el milagrero.

—Mujer, nadie obra milagros por sí, sólo como instrumento de Dios.

—No sé. Lo que es a mí, no me gusta el negocio.

—¡Esto no es un negocio! ¿Qué estás diciendo?

—¿No se entregó la pobre María Santísima, madre del Señor, a Su Voluntad, para que Él obrara milagros en ella? Y ya ve usted lo que pasó.

—Nada malo. ¿No está ahora en los cielos, y es Madre y Reina de todos los mortales?

—Pues buen trabajo y dolores que le damos. Si hubiera tenido con su marido un niño normal, que no pensase en salir a predicar ni en convertir infieles, hubiese vivido mucho más tranquila.

—Eso es lo que tú quieres, por lo visto: vivir tranquila.

—Sí, padre. Bastantes agitaciones tuve ya.

Don Evaristo bendijo a la enferma y no habló más. Pero no se había dado por vencido. Cuando se despidió de Benito, no dejó de darle precisas instrucciones.

—Pronto será el día de san Amaro, que este año cae en

domingo. Tendremos un gran festejo en la parroquia. Que vistan a tu mujer como para misa mayor, con zapatos y mantilla y con las mejores ropas que tenga. Luego, la montas sobre el caballo joven, y la traes a la iglesia.

—No se podrá. Si no se tiene sentada. Y nunca montara sobre el caballo joven.

—La atas sobre la silla y vas a ver cómo se sostiene. Yo mismo vendré a buscarla.

El día de san Amaro hizo sol.

La madre se dejó vestir, no sin protestas, con enaguas infladas de almidón, saya nueva de tanto estar sin uso, blusa y pañoleta bordadas con lujo por ella misma cuando aún era muchacha.

—No veo por qué tengo que ir a la iglesia. Dios no obliga a levantarse a los enfermos.

—Puedes ir a pedir por tu curación. Además, mujer, es fiesta. No habrá fiesta tampoco para nosotros si te quedas en casa.

La sacaron en andas, asperjada suavemente con agua de azahares, y la subieron al caballo nuevo y aún espantadizo.

Como lo había prometido, el cura de san Amaro la esperaba en la puerta.

—No puedo subirme a ese caballo, padre. No estoy acostumbrada a él ni él a mí. Me arrojará de la silla.

—No si te quedas bien quieta sobre ella, hija mía.

Se miraron y otra vez se midieron.

Doña Maruxa midió acaso, también, la distancia que la separaba del suelo. La altura era mucho mayor que si la hubiesen subido a la yegua vieja, gorda, mansa. Si amagaba dejarse caer caballo abajo, el animal resabiado y terco podría convertir su poca paciencia en estampida. Se rompería un hueso: quizá, para colmo de males, el fémur o la cadera y añadiría horribles dolores a la invalidez forzosa.

Decidió quedarse tiesa y callada sobre la silla a la que pronto la aseguraron, como una prisionera.

Don Evaristo, revestido de casullas nuevas y birrete, perfumado de incienso, se empeñó en llevarla él mismo de la rienda. Nunca fue tan largo el camino hacia la parroquia, ni tan atestado no ya sólo de fieles, sino de curiosos. El cura había dejado filtrarse la noticia de que la enferma grave concurriría a misa para implorar su remedio.

Aprendiz de Virgen de la Macarena en su palanquín, doña Maruxa, balanceándose en el lomo de Xán, mirada por todos, bajaba los ojos como el avestruz esconde su cabeza en el hoyo, en un intento vano de pasar inadvertida. Alguien, casi blasfemo, arrojó flores a su paso. Un son de gaitas la seguía, solemne.

Cuando llegaron a la entrada de la iglesia, los acompañantes formaban multitud. Por primera vez en el trayecto, miró, sin apuro ni vergüenza, las caras iluminadas y ansiosas. No ya sólo las de los suyos, sino las de todos. La vida era dura en Barbanza. Dura como la tierra labrantía sobre el suelo de roca, que se hacía rogar su fruto escaso. Dura como las dornas que se tragaba el mar, porque los hombres tensaban el hilo hasta el final y afrontaban la muerte, antes que volver con la barca vacía.

¿No esperaban esas caras lo inesperado? ¿La bondad de Dios, arbitraria y de pronto excesiva como un tesoro que emergía a la luz para que los días monótonos resplandecieran? Se sintió, quizás, la primera actriz de una obra largamente anhelada en un escenario donde la mayoría de los finales eran ásperos y tristes y volvían a hundir a los espectadores en el inclemente desamparo de esa vida.

Don Evaristo se acercó despacio hasta casi rozar el belfo de Xán. Tenía en la mano un cuenco lleno de agua bendita. Mojó en él la punta de los dedos y le hizo la señal de la cruz sobre las piernas. En algún momento, de su ojo verde como agua de estanque saltó un guiño que parecía una rana traviesa.

Desprendió luego a doña Maruxa de las espuelas y la tomó por la cintura.

—Está bien. Seremos socios —es posible que ella le haya dicho al oído, aunque esto sólo lo oyó, como un susurro deformado por el viento, la niña Isolina.

Doña Maruxa quedó de pie ante la puerta de la parroquia. ¿Se le aflojarían las piernas y se derrumbaría sobre la piedra centenaria? ¿O se la llevaría un viento de tormenta encandilado por sus ropas de fiesta? Nadie respiró ni se movió en ese anfiteatro hecho de cuerpos tensos hasta que la enferma, como si fuese otra vez la niña que daba sus primeros pasos sobre el granito rugoso, traspuso por sus medios, torpemente, el umbral que dividía lo sagrado y lo profano.

Desde entonces, doña Maruxa fue algo sagrada y aún más el cura de san Amaro, al que de aquí en adelante las madres le llevarían sus niños afiebrados, y a quien los inválidos tocarían el borde de la sotana por ver si un milagro semejante podía repetirse, aunque ninguno volvió a salirle jamás tan perfecto como ése.

Meses después, la hechizada tuvo un *neno*, concebido en sus meses de inmovilidad y mantelitos. Fue el último hijo. Lo llamaron Domingos, como su abuelo paterno, y porque había nacido en el día del Señor. Creció grande, fuerte y rebelde a todo tipo de trabajo. Los médicos diagnosticaron alguna clase de enfermedad mental, con un nombre difícil de recordar. Exento de la maldición de Adán, y también de su pecado, los familiares y los vecinos que lo querían lo consideraron siempre un ánima inocente. Los que no lo querían —ya se verá por qué— pensaban otras cosas.

Doña Maruxa se iba con él algunas tardes, a ver el mar. Miraban disolverse en el horizonte las barcas de juguete y mientras la *nai* tejía visillos de crochet, el hijo que siempre era niño lanzaba piedras que ganaban carreras a las viejas dornas.

Alguna de esas piedras se transformó en cormorán, aligerada por su largo vuelo, y migró hacia el futuro con su historia en el pico, hasta dar con el espejo inverso de las rocas marinas, en los acantilados de este sur del mundo.

La que tenía mucho ser

María Antonia, mi tatarabuela, tenía mucho ser, como la doña Marina o Malinche de Bernal Díaz del Castillo.

El mucho ser no se le traducía en mucha carne ni en gran estatura. Como todas las mujeres de su familia, había salido pequeña y más bien delgada, aunque con pechos redondos y claros como patenas de plata bruñida.

María Antonia, era sabido, no quería a su nuera, la hechizada. La malquerencia era antigua, databa de tanto antes del hechizo. Nunca le había gustado esa muchacha de pocas palabras y acaso frondosos pensamientos. O carente de pensamiento alguno. ¿Alguien podía asegurar que quienes callaban, pensaban? María Antonia no había leído a Oscar Wilde ni sabía lo que era una esfinge sin secreto, pero incubaba esas sospechas acerca de su nuera.

Y aunque Maruxa pensase, ¿de qué valía eso, si no actuaba? María Antonia la había declarado, con sentencia firme, medrosa, floja, errátil, desleída. ¿Por qué tan luego el hijo mayor, el más laborioso y el más querido, se había casado con esa rapaza pálida y de tan poca sustancia espiritual y monetaria, que sólo había aportado como dote dos vestidos y una pañoleta, y que amenazaba deshacerse en bruma?

—Cuanto más machos, más les gustan las ñoñas —decía para sí, y a veces para otros, la tatarabuela, de cuyo marido, a decir verdad, ya no se acordaba nadie.

Viuda desde muy joven, había tomado el gobierno de la finca y de sus alrededores. Era un gobierno vertical y monárquico de puertas para adentro, revolucionario y anárquico de puertas para afuera. Con la tranca de una de esas puertas María Antonia había molido a palos a uno de los recaudadores de los foros señoriales que se había atrevido a pedirle la renta. Otro de ellos ni siquiera llegó a puerta alguna porque desde lo alto de la cerca de piedra, la dueña de casa le había volado la gorra y casi la cabeza de un escopetazo. Algún historiador local la consideró por ello entre los ideólogos gallegos precursores de la reforma agraria.

Pero lo suyo, como se ha visto, era la acción, aunque no escatimaba tampoco las palabras. Las tenía excelentes y las administraba bien, en las ocasiones adecuadas, con grandiosos efectos teatrales.

Su actuación más recordada fue durante un invierno de escasez, cuando las despensas de los campesinos pobres se vaciaron. La generosidad de María Antonia era tan famosa como sus iras y todos fueron a pedir ante esas puertas siempre cerradas para los recaudadores de rentas.

Ella se las abrió de par en par. Dicen que la bisabuela Maruxa miraba desde el piso alto, entre las celosías de crochet de los visillos. Dicen que su suegra la llamó para que ayudase a vaciar el hórreo grande y a moler el trigo y el centeno.

—El invierno es largo, y no podemos quedarnos sin nada, señora. ¿Qué comerán los niños? —había observado, dubitativa, la pálida Maruxa.

La tatarabuela la midió de arriba abajo, aunque la nuera le llevaba media cabeza, como si sopesara el rendimiento de una tierra inservible.

—*¡Cala, filla da fame, cala!* Mientras ésta sea una casa rica, será una casa abierta. No se dirá de ella que aquí se le niega el pan al pobre. ¿Serías tú capaz de hartarte mientras los otros penan?

Maruxa volvió a su habitual mutismo, aplastada por la argumentación y la metáfora que le recordaba su origen de bella menesterosa. Como los buenos políticos, María Antonia ocultaba, no obstante, datos fundamentales. Había en las otras fincas hórreos más pequeños que guardaban reservas, ignorados por la nuera.

Para el tiempo del hechizo, la tatarabuela no estaba en Comoxo. De haber estado ella quizá no hubiese hecho falta el cura de san Amaro para sanar a Maruxa. Pero Benito tenía un pacto secreto con sus hermanas. A cambio de productos de granja, conservas y labores de mano, la madre, reclamada por sus hijas solícitas, pasaba largas temporadas con ellas, no sin impartir a cada una lecciones de mando y administración doméstica.

A pesar de su ausencia, la gran casa vieja siguió siendo siempre la casa de María Antonia, y todos sus habitantes fueron conocidos por ese topónimo y gentilicio que la señora del mucho ser había impreso definitivamente, como una marca de fábrica, sobre sus propiedades y herederos. Así continuó llamándose hasta que otro Benito, mi tío, un hombre de progreso que deseaba salir del valle y acercarse a la carretera, la vendió al hijo mayor y abandonado de Rafaeliño, el bígamo. Aunque yo hubiera querido visitarla, quedé tan fuera de ella como los recaudadores de rentas. Mi primo desconocido, sordo a los llamados y palmadas, jamás me abrió la puerta, quizá por ser pariente americana y por lo tanto, cómplice involuntaria de la traición paterna.

No hay un solo retrato de María Antonia, pero Antón, el rojo, mi padre, veneraba su memoria, y de haber tenido blasones, nuestro escudo plebeyo hubiese incluido, acaso en el centro, la imagen de una mujercita subida al muro, blandiendo una escopeta.

Un destino sudamericano

El destino sudamericano había aparecido prematuramente en la familia. Por el lado de María Antonia y su padre, Cristobo de Nabor, quedaba en la casa un arcón de madera pesada, donde se guardaban unas dos docenas de libros forrados en cuero, escritos a mano, decían, por un escribano de Indias. Nadie recuerda bien qué había en ellos: ¿asientos contables, adquisiciones de casas, de terrenos, compras de mercaderías? ¿Olerían a canela, a especias, a cacao, a cigarros habanos, a ron de las Antillas? Imposible saberlo.

Hoy, cuando la Historia de Europa parece haber dejado de fluir y el pasado se ha vuelto decorativo y precioso como un objeto de lujo, los primos se reprochan unos a otros esa pérdida. Pero qué podía valer cualquier pasado en aquellos tiempos de presente amargo, si lo único que se esperaba era el advenimiento de otro porvenir. *A España no se puede volver más que a encallar, como un barco viejo*, diría Ortega, años después. De España, y de Galicia especialmente, sólo se pensaba en salir, siempre que todavía se tuvieran las dos piernas nuevas y las espaldas anchas para soportar el viaje y el trabajo.

En el Novecientos, los tres varones jóvenes y sanos de la casa de María Antonia, hijos de don Benito y de la hechizada, hicieron sus valijas de madera y cartón rumbo a las tierras que ya estaban dejando de llamarse "las Indias" para convertirse en América. Mucho más aún desde que el ex imperio acababa de perder el bastión colonial de Cuba, y otro imperio naciente, bajo el lema *Go ahead!* invadía y anexaba costas ajenas con la combinación infalible de la industria y de la guerra, y una despreocupación feroz de *teenagers* insolentes y ricos. Mientras don Benito rogaba por la buena ventura de sus hijos en el Nuevo Mundo, mi otro bisabuelo, el capitán Calatrava, había dejado la vida en Cuba, al servicio de un mundo viejo, y a su mujer, doña Adela, y a sus cinco vástagos, en la peor pobreza española, que es la de los pequeños hidalgos de provincia, llenos de pretensiones y vacíos de fortuna.

Los tres nietos de María Antonia (que no alcanzó a vivir lo suficiente para bendecir su viaje) tampoco tenían fortuna, pero esperaban hacerla, y sus pretensiones no se regían por protocolo alguno. Se acomodarían, no a su ambición, sino a la realidad que la suerte les permitiese. Se instalaron en el partido de Avellaneda, al sur de Buenos Aires, que estaba destinada a convertirse muy pronto en la ciudad gallega más grande del planeta.

Llegaron cuando el tango aún no había pasado del burdel al salón, cuando todavía quedaban morenos de linaje africano en las calles de la ciudad, cuando compadritos perfumados y maquillados como chulos madrileños se burlaban de los "gallegos patasucias" y éstos alertaban a las compatriotas recién venidas sobre las infames intenciones de esos proxenetas con aspecto de mariquitas.

Después de conchabarse en algunos trabajos temporarios para reunir dinero, pusieron una fonda. No una confitería, ni un restaurante, sino un bodegón insondable donde pronto colgaron ostentosos jamones, y en cuanto pudieron tapizaron una pared con botellas de ginebra y de vino tinto. La fonda tenía hospedaje y allí se alojaban los coterráneos, fiado, hasta que conseguían empleo. La palabra se cumplía y ningún gallego estafaba al otro, aunque el abuelo Ramón pronto aprendió a imaginar y aplicar ciertas astucias para duplicar sus ventas a los confiados nativos.

De mañana, muy temprano, cuando el sol comenzaba a resbalar muerto de sueño por los desparejos adoquines, Ramón se apostaba a la puerta del negocio. "¡Venga a tomar la mañana!", gritaba, moviendo las manos, no bien veía llegar a los carreros, "venga, que la casa invita". La casa invitaba, siempre, el primer trago. Una caña o una ginebra que los transportistas, envarados de frío y de mal dormir, estaban dispuestos a agradecer. Luego de ese trago, invariablemente venían otros, bien cobrados, y quizá también algunos bocadillos de jamón o salame, envueltos en el grueso pan de fonda.

Lo mejor se daba a la vuelta, al caer de la tarde, cuando ésos y otros parroquianos, ya sedientos, pedían y vaciaban sin reparar en el número, botellas de cerveza. Calcular el gasto era muy simple: se contaban los envases. Y el abuelo Ramón siempre tenía a mano unos cuantos para añadir a los que de verdad habían trasegado sus clientes.

El negocio prosperaba de cualquier modo porque la persiana se levantaba a las cinco y media de la mañana y se cerraba a las ocho o nueve de la noche. Sólo los domingos se honraba el feriado y los tres hermanos, vestidos como señoritos, iban de paseo o a bailar. A veces a los peringundines y "academias" tangueras donde relucían los zapatos de charol junto a los cuchillos. Acaso a lo de María Rangolla, La Vasca, donde reinaban crapulosamente la Gallega Consuelo, o Catalina la Tísica, pero también a los bailes y romerías que se celebraban en asociaciones locales, en clubes de barrio o en quintas de las afueras.

Si en los peringundines el abuelo Ramón no pasaba de aprendiz, en las fiestas de la tierra era protagonista y músico aventajado. Tocaba muy bien el acordeón y pasablemente la gaita. Las galleguitas solían enamorarse de su música con un apasionamiento que en ocasiones, lo incluía. Pero él no daba alas a las solteras en busca de novio. La compra de la fonda era, para los nietos de María Antonia, la idea fija que regía sus vidas. Habían decretado suspendido el tiempo y sus mudanzas, sus afectos y compromisos, hasta que el éxito les diese licencia para dejar la cárcel y la condena a trabajos forzados en la que ellos mismos se habían puesto.

Ramón, aunque era el más joven, fue el primero en abrirse las puertas de esa prisión para meterse en otra de la que ya no saldría, y todo por una muchachita que ni siquiera le había hecho caso.

La encontró en una de las mesas abarrotadas de restos de empanada y de dulces, cuando el hartazgo de comida y de música iba poniendo fin a una romería.

La chica no lo miraba a él, ni a nadie. Estaba llorando con lágrimas lentas y gruesas que iban cayendo como goterones de cera desde los ojos grises.

—¿Qué le pasa, señorita, le duele algo?

—No, señor. Nada que a usted le importe.

Herido por el desaire, el abuelo Ramón iba a seguir su camino cuando lo detuvo la misma voz, antes irritada.

—Perdone. No quise ser grosera. Es que estoy sola y ya se sabe cómo son algunos.

—No es mi caso, paisana. Dígame qué le pasa y en qué puedo ayudarla.

Esa tarde, Ramón acompañó a la muchacha, que se llamaba Rosa, hasta la puerta de la pensión donde ella vivía. Mientras contaba su historia se le secaron las lágrimas.

—Mi padre está muy grave. Quién sabe si ya muerto, a estas alturas. Ayer recibí una carta, donde me dice que se cumplió el destino, y que ya no volveré.

—¿Qué es eso del destino?

—Manías que se le pusieron en la cabeza. Hace unos años llegó muy malherido de una tormenta. Era armador de dornas en Porto do Son, sabe usted, y acababa de construir una muy hermosa. Tanto, que se empeñó en ir a probarla él mismo, aunque el mar estaba por demás agitado. Pura soberbia, le dijo mi madre, pero marchóse igual y así volvió. La dorna quedó destrozada y fue un milagro que él no feneciera. Mejor dicho, un milagro maldito.

—¿Cómo es eso?

—Dice mi padre que en lo peor de la tormenta se le presentó el *Demo*, el mismo Satanás, y que le prometió salvarle la vida, pero que a cambio una mujer de su sangre, llamada Rosa, viviría en América, y que él no la vería jamás. Él resistió cuanto pudo, peleó con el *Demo*, lo insultó feamente, y se hizo la señal de la cruz muchas veces, para echarlo, pero el malvado seguía allí.

—Si fuese por la señal de la cruz... Muchos se la hacen continuamente a la vista de todos, y no hay duda de que tienen el demonio en el cuerpo.

—El caso es que cuando mi padre se sintió morir, aceptó el trueque que el otro le proponía. Y por eso cree él que estoy aquí y que no volverá a verme nunca.

—Pero ¿cómo piensa su padre esos disparates? Lo habrá enloquecido la tormenta. ¿No se dio golpes en la cabeza?

—En la cabeza y en todas partes. Si lo vomitó el mar y estuvo no sé cuánto tiempo sin volver en sí.

—Eso será. De tanto en tanto algún pescador que pasó por ésas, queda trastornado.

—Seguramente. Pero mi padre se está muriendo, y yo no volví a casa ni puedo hacerlo todavía.

—Tenga fe en que no será así. ¿Y desde cuándo está usted en Buenos Aires? ¿Por qué vino?

—No hubo otro remedio. Después del naufragio, el padre estuvo muy mal de salud, estropeado, y ya no pudo volver a trabajar. En casa empezamos a pasar miserias, y tengo hermanos pequeños todavía. En tanto nos llegaban noticias de Buenos Aires: que se podía una colocar bien conociendo el oficio de la costura fina. Yo sé tejer, cortar, coser, bordar, hago encajes de bolillos, como los de Camariñas, y ahora, también sombreros. Gano más de lo que ganaría allí, y la mitad se lo mando a mi madre. Con eso va saliendo adelante y criando a los hermanos.

—Verá cómo pronto recibe carta diciéndole que su padre mejora.

Habían llegado a la pensión. Era una respetable casa de altos, con pérgola y un aljibe en el frente. La dueña, una napolitana alta y severa, abrió inmediatamente la puerta para dar paso a la pensionista y asegurarse de que la conversación no se prolongara en el peligroso zaguán. Quedaron en volver a verse. Al poco tiempo, ya estaban de novios formales. Y Rosa escribió a su padre, aún vivo, que pronto celebraría su boda con un joven de Boiro.

La hechizada lloró a mares. Era el primer hijo que se le casaba, con ser el menor, y se casaba fuera, y así —temió— ocurriría con todos los otros. Sus nietos irían creciendo lejos, chatos y descoloridos, en el papel sepia de las fotografías.

La boda se hizo y los padres sólo vieron de ella un retrato donde Ramón y Rosa posan, de pie, para toda la familia que había quedado varada en el islote gallego, siempre a punto de desprenderse de la ingrata España, del otro lado de la Mar Océana. Los dos tienen los ojos claros y brillantes como bolitas de cristal, y ella, muy seria, no aparenta más de catorce años, aunque ya ha cumplido los veinte. Ramón, no mucho mayor, se añade una década con los mostachos de guías retorcidas hacia arriba y el pelo crespo, que heredaría mi padre, brutalmente aplastado con fijador, aunque los muchachos de antes no usaran gomina. ¿De qué color sería el largo vestido de tela recamada, que parece oscuro, y que contrasta con la piel de la novia, hiriente de tan blanca? Aunque también casada por iglesia, es una novia civil, a cabeza descubierta, sin sombrero ni mantilla. Será la única imagen en que la abuela aparezca con su pelo al aire, sin el pañuelo negro de las campesinas que usará en la vejez. La cabellera recogida es luminosa y fuerte, acaso rubia, o de un caoba dorado. No hay en casa otra foto de ella, salvo una muy pequeña, donde apenas se ve a una anciana de luto, igual a cualquier otra —de Grecia, Galicia o Sicilia— frente a la puerta de una casa de piedra.

Con las bodas —la de Ramón y, poco después, las de los otros hermanos, ablandados por el ejemplo del menor— aumentaron los gastos pero eso no impidió la compra de la fonda. También aumentaba sus gastos y dispendios la pródiga Argentina que navegaba hacia el primer Centenario de la Revolución de Mayo con las pomposas velas desplegadas. Aunque había ratas en la bodega, no eran visibles desde la pulida superficie, ni tampoco desde la cocina de la embarcación, donde los nietos de María Antonia no daban abasto para satisfacer el hambre y la sed de tanto ganapán y asalariado como pululaba en Buenos Aires. La Ley de Residencia contra los extranjeros que exigían derechos y no sólo trabajo, el hacinamiento de los "conventillos", los ocho muertos y los ciento cinco heridos del Primero de Mayo de 1909, no desanimaban a las multitudes que seguían bajando de los barcos, mientras el gobierno del granero del mundo se disponía a aplaudir la publicación de un ditirambo impúdicamente titulado *Argentina y sus grandezas*, obra (acaso por encargo) del novelista valenciano y wagneriano don Vicente Blasco Ibáñez.

Los nietos empezaron a llegar a la casa del valle en lustrosos rectángulos de cartón. La hechizada no tenía consuelo cuando pensaba que acaso moriría sin tocar esas cabecitas envueltas en mantillas de bautismo, o esas piernas enfundadas en pantaloncitos de marinero. Las hermanas solteras también se habían ido casando, salvo la infeliz Felicidad, que, para disgusto de don Evaristo, dedicaba sus ocios a la enseñanza de la catequesis y las relaciones públicas de la parroquia, que nunca habían sido tan malas como desde que ella había decidido tomarlas a su cargo. El cura hasta lamentaba, por momentos, aquel aparatoso milagro que había puesto nuevamente a Maruxa sobre sus propios pies y le había devuelto el mando doméstico.

Don Benito estaba reumático, y cansado de los trabajos rurales. Los hijos no regresarían. Las fincas no alcanzaban para que medrasen todos. Pero podían ofrecérselas a uno: a Ramón, porque —le decían en los correos, cada vez más asiduos— era el más alegre, el de mejor carácter, con el que siempre se habían entendido y que había elegido a una mujer también experta en encajes, visillos y mantelitos. Las cartas que reclamaban a Ramón llegaban junto con las del padre de Rosa, que insistía en su delirio instándola a que regresara antes de que el *Demo* ganase definitivamente la partida.

Volvieron poco después de los festejos del Centenario, luego de haber visto aclamar en las calles a la Infanta española, doña Isabel, que sumó al gran espectáculo sus kilos, sus joyas y su popular desenfado de maja aristocrática. Don Ramón del Valle Inclán, inversamente, había aportado a los agasajos un porte flaco de Quijote gallego y una literatura esquiva y exquisita.

Volvieron casi como indianos ricos. Ramón se había comprado un reloj que le cruzaba el chaleco a la altura del abdomen ya redondeado por el buen comer, y guardaba otro para su padre. La hechizada no se cansaba de admirar las sábanas de tela fina con calados y cenefas, los camisones de satén, las piezas de vajilla bordeadas por un sutil hilito de oro. Los recién llegados traían regalos para todos, y dos niños propios:

uno rubio y otro moreno, que también fueron un regalo en aquella casa sin nietos.

Rosa fue casi de inmediato a ver al armador de dornas. Los hermanos, gracias al dinero recibido durante más de una década, ya estaban fuera de cuidado. Pero era la madre y no el padre, la que había muerto, poco antes del retorno de su hija. A Rosa le tocó consolarse y consolar. "¿Ha visto como no pensaba más que patrañas, padre? Aquí estoy, con mi marido y mis hijos. A Ramón lo mejoraron en la herencia. Nos quedamos con la casa y con las principales fincas. Ya no tendrá que temer usted que me marche a América".

Se instalaron, en efecto, aunque Ramón aún no se decidía a vender a sus hermanos la parte del negocio. Hizo tres viajes más a Buenos Aires, y entre viaje y viaje nacía en el valle otro niño. Rosa sufría mucho más de lo que osaba confesarse, confinada en la casa sin alumbrado, sin gas, sin baño, lejos de la carretera, del correo y de la escuela, donde ni siquiera eran imaginables un restaurante, un teatro, un zoológico, un museo.

La gran ciudad, con alumbrado, cañerías, grifos mágicos por donde fluía el agua, cafés, grandes tiendas y hasta cinematógrafo, le parecía a veces un mundo de fabulosa felicidad recorrido en sueños y ahora ahogado por la lluvia fina y constante que en los inviernos de Barbanza roía la médula de todas las cosas hasta disolverlas. Sin embargo, cuando aún vivían en Buenos Aires, el solo recuerdo de esa misma lluvia le arrancaba lágrimas y tenía que encerrarse, mordiendo un pañuelo para tapar los sollozos, si pensaba que acaso nunca más volvería a sorprenderla el mar, casi doméstico, en un recodo cualquiera del camino.

La indecisión tocó a su fin cuando, después del último viaje, Ramón le comunicó que había vendido su parte a los hermanos, de los que ya no deseaba ser socio. Ninguno de los dos era lo que había sido. O quizás eran lo que siempre habían podido llegar a ser, si se daban las condiciones favorables. Terminaron mal, aunque ya ni la hechizada ni don Benito se enteraron de ello. Benito hijo se hizo borrachín y pendenciero y despilfarró en malos negocios todo lo ganado. El otro, Antón, se quedó con la fonda y se convirtió en hombre del caudillo Barceló, todopoderoso intendente de Avellaneda, que protegía sus manejos y desmanes. La fonda era apenas una tapadera, porque el dinero considerable lo ganaba en las casas de juego de las que era regente. Mandaba cobrar, implacable, todas las deudas, aunque a veces se las devolvieran junto con un par de tiros o de cuchilladas.

"Al final la vida se las cobrara a él, todas juntas. No es oro todo lo que reluce", decía Ramón, ya viejo, bajo la lluvia invariable, para conformarse con la mala cosecha, o con la enfermedad que se había llevado a la mejor vaca. Después de la muerte de su mujer, Antón se había dado a las carreras de caballos hasta dejar allí cuanto tenía. La hija mayor, Porfica, le cedió luego, por deber filial, uno de los cuartos de su casa y un plato en la mesa.

Los hermanos separados por el océano nunca volverían a verse, ni a escribirse. Ramón, no obstante, puso a sus hijos menores los nombres de esos hermanos perdidos.

Rosa dio a luz ocho niños, de los cuales sobrevivieron siete. A veces maldecía el mar tormentoso y la locura de su padre, que la había hecho volver, para después, como lo hacían todos los padres, dejarla sola y morirse para siempre.

El demonio de Luís Ventoso

¿Qué es una dorna? Una cáscara de nuez, así de ligera y así de resistente. Capaz de sobrevivir a todas las mareas y a todos los embates. Pero quien no siempre sobrevive es el hombre (o los dos hombres, patrón y marinero) que navegan dentro de ella como en el fondo de un útero al que le falta la cobertura.

Quizá por eso los pescadores, cuando tocan tierra, salen de sus dornas tambaleantes, cautelosos, felices, porque saben que, después de todo, han nacido. Se viaja en dorna como quien viaja en nubes, con el mismo placer de espuma y vértigo, con el mismo peligro.

Las dornas son bellas y a veces fatales como un presente griego. Después de todo, no llegaron a las playas gallegas sino como un regalo del enemigo. Los hombres de la costa las tomaron, encalladas y rotas, para crear otras nuevas y más simples desde aquellas ruinas aguerridas. Ése fue el don que dejaron los normandos, además de los niños de ojos azules y las niñas de trenza rubia que iban a parir, meses después, las mujeres violadas de las ciudades y los valles.

Luís Ventoso, maestro carpintero, armaba dornas desde que abandonó la escuela de primeras letras para ayudar a su padre. Apenas lograba leer y firmar, pero sabía el uso de cada veta de la madera, y podía predecir, casi sin margen de error, cuánto iba a resistir el paño de una vela. No se le conocían rivales en toda la ría de Muros y Noia, y, según sus discípulos y admiradores, en la de Arousa tampoco. Tenía un rival secreto, sin embargo, que nadie había visto, salvo él mismo.

La primera ocasión había sido una tarde de verano, cuando acababa de dar la pincelada de brea final a la embarcación destinada a la flotilla de uno de los patrones más poderosos de la zona. El comprador no la quería sólo para la pesca sino para presumir, y sobre todo para pasear en ella a la última de sus queridas. La que llamaban "A Bolboreta", porque tenía el pelo sedoso y oscuro como las alas de algunas de esas mariposas nocturnas.

La dorna —pensó al concluir— era digna de la mujer que subiría a ella como quien sube a una carroza, y todos alabarían la pericia del carpintero junto con la hermosura de la manceba.

—¿No le darás un pedazo de pan al pobre? —oyó a sus espaldas.

Cuando se dio vuelta para mirar quién era, al principio no encontró a nadie.

—Aquí estoy —insistió la voz.

Un hombrecito se había deslizado a sus espaldas y le hablaba, casi invisible, desde la sombra del taller.

—¿Cómo entraste?

—Vaya pregunta. ¿No está abierto, acaso? Demasiado arde el sol fuera como para no buscarse un reparo.

Quien lo interpelaba, además de flaco y achaparrado, era ya viejo. Se apoyaba en un bastón de peregrino y sostenía en la mano una calabaza ahuecada.

—¿Vas a Compostela? No es año *xacobeo*.

—Todos los años son buenos para ir a Compostela. Pero no voy, sino que vengo.

—¿Dónde vives?

El viejo se alzó de hombros.

—En cualquier lugar.

Y le tendió la calabaza.

Luís se la llenó de agua, y le agregó a su morral de caminante un trozo de pan que le había sobrado del almuerzo.

—Buenas barcas haces.

—Así lo espero.

—Con unas como éstas, hace siglos, los navegantes del Norte llegaran a las Indias desde sus tierras de hielo.

—¿Quién lo dice?

—Yo lo sé. ¿No te gustaría ir a América?

—Todos se van.

—¿Pero te gustaría a ti?

—Como a cualquiera.

—¿Y por qué no te marchas? Eres hombre hábil, encontrarías un buen trabajo.

—El pasaje es caro y el sacrificio es mucho. ¿Y de qué seguirían viviendo mis hijos y mi mujer si yo me voy? Mal que mal, aquí me arreglo y todos me conocen.

—Más te conocerían si llegases a América.

—¿Qué dices? Si con el pasaporte te compras el olvido. Pocos vuelven.

—Nadie olvidaría al que fuese capaz de arribar a las Indias en una dorna. Saldrías en los periódicos. Y pronto mandarías llamar a la familia.

—No están hechas las dornas para viajes semejantes.

—Las tuyas sí.

—¿Cómo lo sabes?

—Un día yo también fui armador de dornas, y aun de otras embarcaciones, en Vigo.

—No serías muy bueno, si terminaste sin techo y pidiendo.

—Tenía vicios que no aconsejo a nadie. Me arruiné.

—¿Y ahora quieres arruinarme a mí?

—No te propongo la ruina, sino la gloria.

—Gloria será la de los santos en el Cielo.

—¿Tienes miedo?

—Tengo sentido común.

—No digo que te vayas de una vez. Prueba la dorna un día de tormenta, a ver cuánto aguanta. Si sales airoso podrías intentar la aventura de América.

—Y si no salgo airoso, me quedaré sin dorna y no encontrarán ni mi esqueleto cuando me busquen.

—Poca confianza te tienes.

Luís, que terminaba de barrer la carpintería, ya se había hartado del mendigo fastidioso.

Se dispuso a cerrar, y también a echarlo, pero el viejo, quizá previendo la reprimenda, había desaparecido.

Pasó inquieto los días siguientes. Las palabras del limosnero lo irritaban y lo desazonaban, como a un caballo espoleado por un abrojo que se ha colado entre el pelo y la montura.

Era cierto que muchos marchaban y pocos volvían. Pero algunos habían regresado ricos, vestidos de traje, y se habían hecho edificar la casa más lujosa de su aldea, o aquellas otras, amplias como palacios y esbeltas como torres de vigías, que miraban, solitarias, desde el monte hacia la costa.

Ir en dorna hasta América podía parecer un disparate. ¿Pero acaso no había sido Cristóbal Colón también un loco?

¿Era una carabela tanto mejor que una dorna bien hecha, como las suyas, con las cuadernas de acacia y la quilla de roble, el armazón de pino y el palo mayor cortado en la luna menguante del mes de enero?

Si cruzaba la Mar Océana con una dorna, Luís Ventoso sería mucho más que un indiano triunfador en la industria o en el comercio, uno de ésos que a lo sumo se comprarían una lápida más grande, de mármol fino, para colocar sobre la losa de una tumba que nadie iría a ver, salvo los deudos inmediatos, durante una o dos generaciones.

Si con sólo una dorna podía sobrevolar la enorme boca de la Mar Océana donde tantos huesos humanos brillaban abajo, ocultos como muelas, Luís Ventoso tendría otra inscripción imperecedera, ubicua, en algo que no era una lápida, sino una criatura viva: la memoria, siempre renovada, de una nación, de un pueblo.

Como se lo había aconsejado el mendigo, salió a probar la dorna nueva un día que amenazaba tempestad.

Su mujer, Amelia, se hizo cruces y le rogó que se quedara. Luís recordaría luego su cara muchas veces, y también se taparía los oídos para no volver a escuchar aquellos ruegos.

Aunque el cielo amenazaba desplomársele encima como un toldo mal puesto, siguió adelante por la garganta de la ría, hasta salir a mar abierta.

—Me querías echar, pero al final cumpliste cuanto te propuse, ¿eh?

Antes de que Luís pudiera responder, lo hizo el trueno y lo hizo el rayo. La dorna se sacudió brutalmente. Las olas la bajaban y la subían con divertido ensañamiento, como si se tratase de un juego de pelota.

El peregrino de la carpintería había brotado en la dorna como una vela más, innecesaria, que desequilibraba la embarcación. No parecía ya tan viejo ni tan desvalido como la tarde en que pidió limosna.

Luís no tuvo tiempo ni de ponerse a pensar cómo era posible que hubiese llegado allí, dado que él había revisado escrupulosamente la dorna antes de salir, sin encontrar nada anormal, y menos aún, un polizonte. No le alcanzaban las manos ni los baldes para vaciar la nave, que amenazaba hundirse, a pesar de su ligereza. Las carcajadas del mendigo se sumaron pronto al rugido del huracán y del agua brava.

—¿Por qué no me ayudas en vez de reírte?

Como si tales palabras merecieran un castigo, la dorna, azotada por la última ola, comenzó a crujir y a agrietarse desde la proa hasta la popa.

—Parece que acerté con tus pequeñas debilidades. Aunque en eso no resultaste nada excepcional, por cierto. Todo armador cree tener dentro un gran marino escondido, que sólo espera a que le den la oportunidad para manifestarse.

—¿Quién eres? ¿O quién te crees que eres? —lo increpó Luís, sosteniéndose, a duras penas, del palo mayor, a punto de caer.

—¿Quién te parece?

Luís, entonces, tuvo la certeza de que ese personaje capaz de aparecer y desaparecer como el conejo de un mago, de filtrarse sin ser visto ni oído en una carpintería o una barca, y de atormentar a quien nada le había hecho, no podía ser otro que el *Demo*, el demonio. Y aunque no había leído *Doktor Faustus* e ignoraba quién era Mefistófeles, ya no tuvo dudas cuando le propuso o le impuso un trato, que no implicaba vender el alma, pero sí empeñar el futuro de la familia.

—Así no verás América, marino, lo siento. Otros lo hicieran en mejores condiciones y con peores propósitos, como que se quedaron con imperios enteros. Pero habían arreglado antes sus asuntos conmigo. No puedo salvar tu barca.

—Si eres quien eres, deja que vuelva a casa, al menos. ¿Qué harán mi mujer y mis hijos si les falto?

—Ella se casará con algún otro, no te preocupes.

—Eres un miserable.

—Ya me lo han dicho.

—Andas solo y perdido como un perro sarnoso y quieres que todos nos quedemos igual que tú.

—Soy el que corta, soy el que separa, soy el que rompe, soy el que desgarra, soy el que destruye. Ésa es mi condición, ése es mi oficio.

Creyente, aunque no excesivamente practicante, Luís retornó a los más elementales ritos protectores de su infancia. Tenía a su disposición toda el agua del mundo, aunque ni una gota de agua bendita. Le enseñó al mendigo el crucifijo que llevaba sobre el pecho y se santiguó él mismo muchas veces, sin resultado alguno. El viejo sonrió y le mostró su propia boina de peregrino, que tenía bordada la cruz de Santiago.

—No me asustas con eso, criatura. Si insistes te llevaré a la costa, aunque para todo hay un precio. Salvarás la vida y perderás otras cosas, que acaso tienes en mayor estima. Tú te quedas, atado a tus maderos, pero otros se irán y no podrás impedirlo. Una mujer de tu sangre, llamada Rosa, vivirá del otro lado del mar y morirás sin verla.

Fueron las últimas palabras que Luís Ventoso escuchó del mendigo. Se le clavaron más profundamente que las astillas de la dorna cuando le perforaron las piernas. Le dolieron no menos que el golpe contra el acantilado que lo dejó tullido.

Contó esa historia, con muchas variantes, muchas veces, sin convencer a nadie. Todos, incluso su hija, lo consideraron víctima del mal de mar, que trastorna a los hombres. ¿Quién no ha visto o ha creído ver a Dios o al Demonio cuando el agua del abismo amenaza lavarle y desteñirle para siempre la memoria?

Vivió en ese horror y en ese error hasta que por fin volvió Rosa, la hija más querida. Murió casi feliz, sin saber que el oráculo era —como todos— engañoso, y equivocada, su interpretación de la profecía. Habría otra Rosa de su sangre que el mar separaría sin remedio de las costas gallegas. Otra que viviría sin verlo, una desconocida, hija de sus padres pero sobre todo, del éxodo, que llevaría puesto su nombre de bautizo como quien porta una lejana joya de familia, o mejor aún, un amuleto contra el olvido. Otra Rosa, la nieta de la suya, que no iba a conocer a esa niña tampoco. Otra, la separada, la distante, que nacería en un país llamado exilio.

El inocente

¿E ti que es, parvo, ou tolo?, le decían otros niños a ése que algunos llamaban el inocente. Quizá no era ni tonto, ni loco, pero tampoco le interesaba dar explicaciones. Por lo general, no respondía nada. Se cruzaba de brazos y miraba al frente, al sol, con los ojos fijos, acaso esperando un mensaje de otra parte. Al cabo de un rato, como si aquella comunicación se hubiese en efecto producido, salía de golpe, derecho y sin pestañear siquiera, hacia cualquier dirección que le dictase el capricho.

No tuvo otra ley que ésa, su capricho. Así le reprochaban duramente a don Benito algunos vecinos, que le exigían aplicar una de dos recetas posibles: darle de azotes hasta que sentase cabeza, o encerrarlo en el manicomio. El bisabuelo

Benito no hizo ninguna de las dos cosas. Doña Maruxa jamás lo hubiera permitido, y a él lo aturdían sentimientos mezclados de culpa y compasión. Se compadecía de ese niño extraño, inútil para todo, se compadecía de su mujer y de sí mismo. Se culpaba, por otra parte, porque era el hijo de la enfermedad o del hechizo. Su concepción había sido, si no pecaminosa (¿acaso no era Maruxa su mujer legítima?) al menos irresponsable. Recordaba, sin embargo, aquellos meses como un remanso de callada delicia entre sábanas que nunca habían sido más suaves, entre almohadones y cobertores que jamás habían vuelto a despedir el mismo perfume. El tiempo y sus pesados deberes parecían haberse suspendido en una larga fiesta que cuerpos y almas, indiscernibles, celebraron con entrega incondicional, maravillada, como los niños pequeños se entregan a sus juegos.

Quizá por eso aquel hijo, aquejado a la vez por el defecto y por el exceso, le era especialmente querido. Mientras vivió y tuvo mando en la casa, no consintió que nadie le pusiese un dedo encima, ni coto a su libertad.

Así Domingos, el loco o el inocente, según lo dictaminasen las simpatías o antipatías de quienes lo juzgaban, andaba siempre por donde le parecía, disponiendo de todo como si fuese propio, o como si nada tuviese dueño alguno. Jamás se dejó vestir con pantalones y su madre tuvo que coserle una túnica de lona para que no se enfermase cuando pasaba las horas escondido en los bosques y lo sorprendían las lluvias.

Algunos dieron en llamarlo "el Cristo" por su vestimenta anacrónica y talar. Hubo quien le asignó otros nombres menos comprensibles, como el científico alemán que había venido a estudiar los castros romanos. "Es el *Urmensch*, el *Wanderer*, el hijo de la Naturaleza", decía, con algún eco de fervor romántico. Aunque nadie lo hubiera creído posible, esos dos seres disímiles se hicieron amigos. Domingos llevaba al Herr Doktor Baume por sendas perdidas y encontraba las huellas de seres desaparecidos sin equivocarse nunca. Quizá porque él mismo vivía en otro tiempo paralelo y simultáneo al tiempo meramente utilitario y lleno de afanes de la gente de la aldea.

Por primera y última vez en su vida, ganó algo de dinero por sus servicios como guía, y desde entonces comenzaron a respetarlo un poco, aunque no sin reservas, teniendo en cuenta que era un científico tudesco quien lo había contratado, y que entre locos bien se entienden.

Nunca fue a la escuela, pero la madre le había enseñado a reconocer las letras. Las dibujaba en hojas de papel de estraza, o componía sus contornos con guijarros, y las trataba como si fuesen personas. Algunas: la J o la K le parecían engreídas o rígidas y las borraba en seguida. Le agradaban, en cambio, la O que rodaba por el mundo como una pelota, lisa y resistente, y la U, flexible como una horqueta, de la que se podía entrar y salir sinuosamente.

En una época le dio por las alturas. Subía a los techos y con los pies enormes, siempre descalzos, destrozaba las tejas de propios y de ajenos. Los tejados eran para él una atalaya de revelaciones inseguras y también el empinado apeadero desde el que arrojaba todo tipo de proyectiles (tejas rotas, piedras, bacines de aguas mayores y menores, bolas de estiércol), no ya a las olas indiferentes de la ría, como en sus paseos con la madre, sino a sus peores enemigos. Don Benito pagaba —a veces— compensaciones, y toleraba los reproches. En el fondo, sin embargo, aprobaba secretamente los actos de su hijo. Sus víctimas eran, en realidad, reos condenados por una sentencia justa y precisa. ¿O acaso no se merecía el bacín lleno de orines la de la casa del Toxo, que se había enriquecido con el contrabando, y que obligaba a su madre de noventa años a ir a la *leira*, y la uncía al arado como si fuese un animal de carga? ¿No ameritaba la lluvia de pedriscos el cura de Cespón, que lejos de ser mesurado y hasta sabio, como don Evaristo, siempre tenía alguna "*sobriña*" en casa y aun molestaba a las mujeres casadas que iban a confesarse?

Su hijo no sería tan tonto si podía darse cuenta, sin que nadie se lo dijera, de que aquellas gentes eran acreedoras a un castigo que nadie se atrevía a aplicarles. A ninguno temía, y nada valían para él ni el poder ni el dinero. Ni siquiera la comida o el techo parecían importarle. Cuando se comparaba con él, don Benito se veía atado a la tierra como lo estaban los bueyes, andando siempre por el mismo surco, sujeto a la esperanza del fruto, esclavo del terror a la era vacía.

Su hijo el inocente colgaba en cambio de las ramas del bosque, como si fuese el erizo del castaño o la bellota del pino, o salía de las aguas del Coroño en las mañanas de verano como una nutria salvaje, con el pelo leonado rielando en vetas de luz sobre la espalda. Ni el rey Salomón en toda su gloria, pensaba entonces al verlo, luciría vestido como lucía aquel cuerpo desnudo.

La mayor preocupación de Maruxa y Benito era el futuro. Qué sería de ese mozo ingobernable y áspero cuando ya no tuviese padres y cuando él mismo comenzase a envejecer. Sufrían de sólo pensarlo mendigando por las aldeas, ya incapaz de subir a un árbol, con las articulaciones deformadas por el óxido de las lluvias perennes y la carcoma del reumatismo. Maruxa se despertaba a veces, de noche, atormentada por la misma pesadilla. Lo había soñado boca abajo, semisumergido en las aguas fluyentes o desnucado después de una caída, o coceado por algún caballo, o apaleado por alguna de las familias que en otro tiempo habían recibido de él excrementos y pedradas. ¿Quién cuidaría entonces de ese niño barbudo, canoso, arruinado por sus desbordes de vitalidad y de inocencia, o, según su padre, por su infalible vocación de hacer justicia?

Sus hermanas o hermanos lo cuidarían, naturalmente, aunque no podrían quererlo de la misma manera, porque sería una carga más para sus espaldas ya dobladas, como las de toda la gente de Barbanza. Habría que aligerar ese fardo, hacerlo tolerable, no ya por los puros lazos del amor, sino también por los del interés. Comenzaron a pensar, entonces, quién de los hijos era el más apto para hacerse cargo tanto de la casa y las fincas, cuanto del inocente, que se heredaría junto con ellas como un mobiliario irrenunciable. Ni Antón, ni Benito, de poca paciencia y propensos a la ira, les parecían indicados. Ofertaron la casa y las tierras a Ramón, el músico, aun temiendo que no quisiese volver, a pesar de la mejora. Retornó, sin embargo, con mujer y dos hijos propios, a la casa perdida como un accidente del terreno entre los relieves y concavidades de la montaña y el valle.

Los años fueron aplacando el temperamento del inocente. No dio otros disgustos que la guerra sobre los techos. A juzgar por su conducta, no lo atraían las mujeres y quizá tampoco los hombres. Entre los seres vivos, prefería la sociedad de los animales y los árboles. Por nadie se dejaba tocar, salvo por su madre, que lo llamaba por las noches y lo hacía sentar en un escabel, a sus pies, para desenredarle y peinarle la cabellera fosca. El resplandor de la *lareira* le sacaba chispas entonces, como quien martilla el cobre.

Sobrevivió muchos años a sus padres, y murió en casa, al calor moribundo y aún persistente de esas llamas apagadas. Lo encontraron una mañana, con un trocito de carbón entre los dedos, intentando escribir sobre la piedra tibia una letra inconclusa.

Rosa

¿Qué pueden hacer las mujeres que se llaman Rosa? ¿Conformarse con ser o parecer flores, así como las que se llaman Linda no tienen más remedio que dar –puedan o no– la medida de la belleza?

Rosa parece un nombre simple, natural como una flor. Y sin embargo, pocos seres existen más complicados que esas flores, secretas y llenas de vueltas como escaleras de caracol. Cuando se les van quitando los pétalos, uno por uno, en el centro impalpable sólo queda el vacío. Porque el ser de las rosas no radica en un núcleo escondido, sino en la alianza de las delicadas envolturas.

Rosa Ventoso Mariño, nacida en el Son, se creía hecha, como cualquier rosa, para permanecer en la tierra donde había nacido, y a eso volvió. Sin embargo, como todos los Mariños, que de ellas descienden, tenía tatuada en el esternón una Sirena que le arrancaba suspiros cuando las dornas se desgajaban de la ría, o más aún, cuando imaginaba los barcos de gran alzada saliendo de Vigo, rumbo a los cuatro puntos cardinales.

Después de que el padre quedó inválido a causa de la pelea con el *Demo*, vio abrirse la puerta de una oportunidad inesperada. No era una veleidad de su carácter sino la necesidad misma lo que la empujaba a América. Se fue sin culpa, como se va cualquier Sirena, dejándose llevar por las corrientes profundas. Pero aun a esas criaturas del mar les pesa la nostalgia de un banco de coral, de un arrecife, del puerto donde se saben admiradas y temidas por los hombres. Rosa, que de Sirena sólo tenía un poco, pronto empezó a añorar la familia, y a veces, hasta la misma pobreza.

Después de todo, también era pobre en Buenos Aires, comparada con otros y era, además, una desconocida, sin ningún espejo entrañable que reflejase su cara. Aunque en el mundo había tantos seres múltiples y diversos, el cariño, como una barca terca, anclaba sólo en algunos. Decidió anclar en Ramón, leal y hospitalario, y cuando quiso acordarse, toda su voluntad de Sirena, que era tímida y silenciosa, la habían enajenado sus padres y sus hijos.

Se fue con ellos, vivió para ellos, atrapada en el trasmallo de dos generaciones, pescada para siempre, con su larga cola brillante convertida en la modesta cola de su único vestido de gala y en dos piernas que subían y bajaban con trabajo por los desniveles de la tierra. Ya en la vejez, postrada en la cama con una de esas piernas puesta en alto, hinchada y deformada por la diabetes, pensaría en los seres que pueden disponer de sí mismos, solos y libres, libres pero solos. Sus hijas se afanaban para atenderla pero por la ventana de su cuarto no se podía ver el mar, como no podía verse por la ventana de la casa de Padrón, donde había muerto muchos años antes Rosalía de Castro, que a pesar de todo había pronunciado, antes de cerrar por última vez los ojos, una frase aparentemente sin sentido: "Abre la ventana, que quiero ver el mar". Eso había dicho, y no hablaba en realidad de la ventana ciega sino de su gran pena –meditaba Rosa–, porque había dejado de ver el mar dentro de sí.

A veces, por las noches, refugiada en sus dos apellidos marinos, Rosa Ventoso Mariño, hija del armador de dornas, tomaba una caracola escondida bajo la almohada como un amuleto protector, y la acercaba a su oído para escuchar el viento, que era su lengua padre. El viento que bramaba sobre los pinares, que estremecía el follaje de los castañales y los eucaliptos, que derribaba los erizos, que volaba las tejas, que inflaba las velas de todas las barcas, para estrellarlas o para conducirlas a buen puerto, que soplaba también, como si fuese un cántico protector y una hoja de ruta, en la cabeza de los timoneles desorientados, hasta que atisbaban el faro y encontraban el rumbo de la costa.

Arrullada por ese canto se dormía despacio, pensando que era una hoja de castaño, verde y lanceolada, y que el viento se la estaba llevando lejos, a lugares ignotos, donde se perdía la memoria. Era triste, patético, quedarse sin memoria incluso de sí mismos, como les ocurría a menudo a los ancianos. Sin embargo, acaso era también una forma oscura de la piedad de Dios, que los descargaba con ello del peso ya intolerable de sus vidas, para que jugaran a escribirlas de nuevo, sobre un papel vacío.

Con la pierna en alto, y los almohadones más gruesos de la casa colocados bajo la espalda, mientras bordaba o tejía para no perder el tiempo, o para que el tiempo no la perdiese a ella, pensaba inevitablemente en todas las cosas que acaso no quería ya recordar pero que no podían ser aún olvidadas, y que se cruzaban con distintos colores dentro de su cabeza, como se iban cruzando los hilos sobre el bastidor o sobre el tejido.

Pensaba, absurdamente, en una tetera de porcelana pintada a mano, que había sido uno de sus más queridos regalos de casamiento, y que se había roto, como un mal presagio, al querer embalarla cuando volvieron a España. Pensaba en un increíble abanico de plumas que alguna vez había visto en una vidriera de Buenos Aires, casi igual al de la Bella Otero, que, aunque se hacía pasar por andaluza gaditana, era tan gallega como los hórreos. Qué remedio, si al parecer sólo las gitanas con su leyenda vestida de lunares creaban fantasías eróticas y buenos dividendos.

Pensaba que la Bella, adorada por los pueblos y por todos los reyes y los príncipes de Europa, no había parido ningún hijo y que había dejado su fortuna en los casinos de Niza y Montecarlo, donde vivía de la caridad, sin un pedazo de tierra propia, y sin poder echarse al mar en busca de palacios sumergidos, como lo hacen las Sirenas.

Ella había tenido ocho hijos y era, a veces, como si no hubiese criado ninguno. Uno (Luisiño) se le había muerto de fiebres siendo niño; tres (Moncho, Juan y Antón) estaban en Buenos Aires; uno de viaje (Benito), y Suso, el pequeño, ya casado y en otro pueblo. Las muchachas (Isolina y Maruxa) se turnaban para cuidarla, dejando para ello sus casas propias hasta que volviera Benito.

A pesar de todo, no podía quejarse de la suerte. La guerra había pasado como un mal sueño sin quitarle ninguno de los hijos que le restaban, aunque terminó arrebatándoselos de otra manera. ¿No había tenido que irse Moncho, el anarquista, y hasta Juan, sólo culpable de vagas simpatías de izquierdas y de recibir por suscripción la revista *Cultura Proletaria*? También Antón, que había servido en la Marina de la República, y al que se tenía por rojo, se había marchado con los mayores a Buenos Aires. De todos tenía nueras, menos de Benito, que se había quedado con ella, con el tío Domingos, con la casa y con las fincas, y que era un hijo paciente, dispuesto a detenerse, cuando terminaba el día, en el tiempo de las conversaciones domésticas, en el tiempo cerrado de las mujeres viejas, que temía al futuro, y que no desperdiciaba ningún recuerdo, incluso los ingratos, como los que llenaban, a su pesar, las horas de costura.

—Madre, ¿no quiere una taza de leche?

Era Isolina, generalmente, la que asomaba la cabeza por la puerta y le acercaba un cuenco de leche tibia. Luego se demoraba con ella, para hilar o coser y cuando se levantaba a preparar la cena, el cuarto empezaba a llenarse de sombras.

Rosa, cansada, dejaba las labores, y apagaba el candil, por no gastar luz en vano.

Cerraba los ojos, y pensaba que su vida era un estado de gravedad mortificante, donde todo tenía que ser levantado y movido de su sitio con enorme trabajo, empezando por su propia pierna enferma.

No siempre había sido así. Alguna vez la vida había sido ingrávida como una dorna en un día de mar tranquilo, había remontado vuelo como un cometa, se había enredado en las cúpulas de una ciudad lejana junto a un río.

—Madre, ¿no va a cenar?

—No quiero nada, hija.

—Siquiera un caldo.

Tomaba el caldo, más que nada por darle gusto a Isolina, que la miraba con angustia, como si fuese a desvanecerse de un momento a otro. Si Isolina supiera lo pesada que estaba, como esos caballos viejos que han tenido la desgracia de pisar en terreno pantanoso, y van hundiéndose con los ojos vueltos hacia arriba, aceptando mansamente lo irremediable.

—Esto se acaba.

—No digas eso, Ramón.

—Todo se acaba queridiña. Cómo no me voy a acabar yo.

Se había incorporado y había tosido, aún con el cabo del cigarro entre los labios. Todos los hijos, salvo Moncho y Juan, estaban presentes.

—Preguntan de la iglesia si vas a recibir los sacramentos.

—Que venga el cura, si es para que nadie murmure, y

para que os dejen en paz. Si Dios me ve, ya sabe quién soy, y que tengo la conciencia tranquila.

El cura había venido y todos lo habían visto entrar y salir de la casa de María Antonia, que al fin y al cabo había recurrido a los santos auxilios aunque fuese un semillero de varones rojos. Aquel día no terminaba nunca; las horas rechinaban como un mecanismo herrumbrado con cada jadeo del enfermo. Ella resistió hasta el amanecer, despierta, teniéndole la mano. Cerró un instante los ojos, y cuando los abrió, por el tacto de esa mano agarrotada, que no había soltado nunca la suya, supo que estaba muerto.

Lo enterraron en el camposanto de la iglesia, con sus padres y abuelos, en la tierra madre.

Una vez que Rosa dejó de llorar todos los días, vendió el acordeón y la gaita, porque ningún hijo había aprendido a tocarlos. La música de Ramón no había servido más que para enamorarla, y cuando miraba aquellos instrumentos se acordaba del amor que ya no tenía, y también de todas las cosas que Ramón no había hecho, y de las promesas que no había cumplido. Nunca habían salido de pobres. De la gaita y el acordeón no brotaron la leche y la miel, sólo el viento que no daba nada, sino desazón y pasiones, que golpeaba todas las puertas y desataba todos los nudos.

¿Pero había otra cosa en la vida que desazón y pasiones? ¿Era la vida otra cosa que un querer irse, y lamentarse luego por no haberse quedado, y volver a partir y añorar nuevamente lo que se dejaba atrás? ¿No era el tiempo un viento errátil y a veces furioso que arrastraba a su paso aun a aquellos que habían decidido estarse empecinadamente quietos?

Cuando la noche se oscurecía por completo, ella buscaba un espacio imaginario donde no hubiera tiempo ni viento, antes de que todo lo irremediable se hubiese consumado. Y lo encontraba entre el mar y la tierra, en una franja de oro donde cabía la ilusión de permanecer para siempre en el territorio del viaje y de la espera, en la inminencia de la partida y del encuentro con el destino, antes de que esa eternidad resplandeciente se despeñase en la sucesión. No sabía si era el amor de su vida quien la aguardaba allí, o si era otro amor inexplicable, aun sin descubrir. El que venía de lejos, preguntando por una niña insospechada y remota

al pie de una fuente fría,
al pie de una fuente clara,
que por el oro corría,
que por el oro manaba,
a orillas del mar que suena,
a orillas del mar que brama.

Felicidad

Quizá nunca nombre alguno cumplió peor su función de ajustarse a la criatura nombrada. Difícil concebir una mujer menos dichosa, en todos los sentidos de la palabra. Tal vez sólo doña Ana la excedió en ese *record* indeseable. Felicidad era infeliz por su suerte adversa, porque nada le salía según sus ambiciones y sus deseos. Y también era una infeliz, no por "bondadosa y apocada", como dice el diccionario, sino porque a veces vivía como si tal fuese, abrumada por el peso de todos los hechos que no podía modificar.

Hija soltera de una familia numerosa, tenía por delante dos opciones mezquinas. Quedarse en la casa natal, con el hermano que la había heredado y bajo la voluntad de su cuñada, o echarse al mundo, siguiendo un modestísimo plan de corto alcance: ir a servir a las ciudades, a las casas ricas de Vigo o de La Coruña. Soñaba con haber sido maestra: ése sí que era un puesto de mando y de respeto. Pero como tal, lo ejercían los varones, y sólo aquellos que habían tenido la oportunidad de educarse. Aunque varón hubiese sido (como secretamente lo deseaba tantas veces), apenas si sabía deletrear y firmar con muy mala caligrafía.

Antes de ir a humillarse en casa ajena, intentó primero ganar la batalla en la casa que había sido propia. Al principio derivó fuerzas hacia el servicio eclesiástico e intentó hacerse indispensable para don Evaristo. Cambiaba a cada paso los mantelitos del altar y los ramilletes de flores, al tiempo que —decentemente— buscaba novio entre los feligreses. Visitaba por su cuenta y riesgo a las familias campesinas para que mandasen los niños a la instrucción religiosa, con el indeseado efecto colateral de indisponer al párroco con casi todos los padres de varios kilómetros a la redonda. En plena posesión de su poder oficioso, Felicidad los amenazaba con las calderas del infierno y hasta con la excomunión en vida, si no cumplían su mandato. Don Evaristo tuvo que agradecerle su celo, y pedirle —con delicadeza que no hiriese su buena voluntad— que le hiciera el favor de retirarse de la milicia activa.

La delicadeza fue inútil. Felicidad, ofendida hasta la médula, no lo perdonó jamás. En la que juzgó como "la traición de don Evaristo" debió de producirse, probablemente, su primera fractura respecto de la fe católica. Siguió yendo a las misas indispensables, para que no la calumniasen los vecinos, pero buscó otro confesor, aunque tuviera que cumplir el ritual mucho más lejos.

Cuando llegó la cuñada heredera, con el hermano y sus dos niños, Felicidad, alta como su madre pero no hermosa, la miró con desprecio. ¿Qué obstáculo podría oponer a su voluntad esa mujer minúscula, tierna, al parecer, como un confite, y que se había casado con un tonto como su hermano? Olvidaba la cuitada que María Antonia, la del mucho ser, también había sido minúscula, y no sabía, por supuesto, que hay más energía en una botella de uranio que en varios tanques de petróleo.

La batalla fue solapada. Rosa, la indiana, por no disgustar a los suegros viejos, se dejó quitar sin protestas por la cuñada, hoy un mantel bordado, mañana un juego de cubiertos y otro de sábanas, pasado una colcha con lazos de raso, que ni siquiera eran para Felicidad sino para sus hermanas casadas. La mediadora gozaba acaso con estos oscuros trámites como deben de gozar los diplomáticos cuando, sin costo nacional alguno, arrebatan al enemigo una península, una ciudad, o siquiera un puente.

La indiana no parecía inmutarse por la guerra fría que Felicidad llevaba a cabo bajo los ojos aturdidos de sus padres y la incómoda tolerancia de su hermano. En realidad, Rosa no tenía tiempo para minucias, avasallada por los acontecimientos que invadían su vida en forma de niños recién nacidos y se hacían un lugar en el mundo ya atestado, a fuerza de llantos, gritos y sonrisas. La preocupaban mucho más las existencias de pañales y batitas de bebé, que el abastecimiento de manteles y cubrecamas exquisitos, raramente utilizables en una casa literalmente tomada por sus nuevos y siempre sucios habitantes.

La tía daba una mano con las criaturas gritonas, adoctrinadas por ella con más eficacia que el perro de Pávlov, para encaminarlas hacia una prometedora y precoz obediencia.

Rosa, a pesar de todo, agradecida, no se privaba de elogiarla, asegurándola que sería una excelente madre. Felicidad, ya pasados los treinta, sonreía secamente ante el elogio, peinaba en dos tirones la cabeza crespa de la última niña y se echaba luego a llorar en el establo. ¿Madre de quién? ¿De unos sobrinos cuya mayor alegría era ir a refugiarse *no colo da nai*, en el siempre tibio regazo materno, cuando daba la hora del Ángelus y sus ojos empezaban a cargarse de sueños invisibles? ¿Madre de los terneros que parían las vacas? ¿De los pollos del gallinero que la seguían con devoción sólo para que les diera el grano?

Tampoco faltaban hombres que la siguiesen por los mismos o parecidos motivos. Don Fidel, el viudo, sesentón ya, que buscaba una moza fuerte para el trabajo del campo, limpia en la cocina y bien dispuesta en la cama, a cambio de un acta matrimonial que le daría derecho a gobernar la casa y a ser tolerada por el hijo heredero si él muriese. Felicidad pensaba con asco en la última parte de las tres obligaciones, que la comprometía a atizar los últimos fuegos de un macho gordo y cansino, ya más cerca del buey que del novillo. No. No quería casarse con un viejo como último recurso. ¿No tenía derecho a un mozo medianamente guapo, como lo eran sus hermanos? Que fuera tonto daba lo mismo, si otra cosa no podía esperarse del sexo masculino. Pero una buena estampa, con las precisas dotes de varón, compensaban otras escaseces menos importantes, que el cerebro de una mujer avispada podía suplir perfectamente. ¿No había oído ella un cuento antiguo, donde un fraile le reprochaba a una señora joven y rica el haberse metido en amores con un gañán de pocas luces, y donde ella le respondía, con todo sentido común, que no lo quería por sabio sino por sus virtudes de otra índole?

Sin embargo, Felicidad no tardó en encontrar la suma de sus aspiraciones: un buen mozo, que a tal cualidad añadía, si no inteligencia (que eso no lo garantiza Salamanca), al menos una regular instrucción, como que era el maestro del pueblo, designado para reemplazar al viejo don Eufemio, muerto hacía poco.

Dicen que para todos los seres humanos pasa un ángel, que a cada uno de nosotros nos cubre, al menos un momento, como el roce de un ala, la sombra de la belleza y de la gracia. Felicidad tuvo entonces el suyo. Con paciencia y tenacillas había logrado armar un marco de rulos negros en torno a la cara blanco mate. Nunca le cayeron mejor las faldas desde la cintura delgada hasta los pies que se habían aficionado a los zapatitos de dama. Cuando se la veía llegar, vestida de domingo, daban ganas de cantarle aquello de "Pisa morena, pisa con garbo..." y dejarse pisar, entregado a los punzantes caprichos de sus tacones. Don Fidel se puso más baboso que nunca y hubo mozos que hasta pensaron seriamente en correr el riesgo de cortejarla.

Felicidad, sin embargo, no veía ni oía más que a uno. Buscaba aproximársele al salir de misa, en cada fiesta de santo, y hasta en los bancos de la escuela, cuando iba a buscar a sus sobrinos. Por lo general, no recibía otra cosa que un saludo, acompañado a veces por una mirada que parecía de aprobación inequívoca, hasta que un día creyó logrado su más secreto deseo. El maestro en persona se acercaba a hablarle después de la misa, sin que ella hubiese tomado aún iniciativa alguna.

Cerró los ojos para aspirar mejor el aroma a colonia que —a dos metros de distancia— despedía la chaqueta del educador de párvulos. Cuando los abrió, los zapatos de charol, iluminados por un brillo perenne y automático, pasaron a primer plano. Contuvo el aliento. Don José Cabrales, familiarmente llamado Don Pepiño por alumnos irreverentes, iba a pronunciar algunas palabras.

—Señorita...

—Diga usted.

—Yo tengo pensado... Es decir, me sugirieron...

—¿Qué..., señor?

—Sabrá usted que vivo solo, y que la casa es grande. Creo que necesita una mano femenina.

Felicidad comenzó a temblar. No con todo el cuerpo, sino con el pie izquierdo, su extremidad vulnerable, que delataba sus más violentas emociones aun cuando todo el resto de su cuerpo y la cara se atuviesen a las reglas de la más perfecta compostura. ¿Sería posible lo que estaba oyendo? ¿Así nada más, de manos a boca? ¿Sin que hubiesen mediado entre ellos más que miradas y gestos? Pero en los cuentos, y a veces también en la vida, se conocían estos casos de amores fulminantes.

El maestro continuó.

—Sé que usted es persona seria, honrada, de buena familia, merecedora de toda confianza. Al menos es lo que opina la gente de por aquí.

Felicidad empezó a inquietarse. El maestro había comenzado de manera muy formal como para no dejar dudas sobre sus rectas intenciones. Sin duda quería impresionarla bien, pero, ¿no debían pesar más en los lances de amor consideraciones de otro orden, menos insípidas? Esperaba que siguiera con alguna alusión, al menos, a su belleza y encantos personales.

—Por eso es que no dudo en ofrecerle un empleo como asistenta. Verá que no es mucho trabajo. Lavado, planchado y un poco de orden. Creo que con tres veces por semana bastará. No es tanto lo que ensucia un hombre solo. Puede venir por las mañanas, mientras yo estoy con los niños en la escuela. Con todo gusto le dejaré las llaves.

Felicidad quedó sin habla, adherida al suelo como si la hubiesen clavado con remaches. Notó, con terror, que del ojo izquierdo, también más vulnerable, estaban por salírsele las lágrimas y tragó saliva.

—Si no lo toma a mal, le diré que su buena presencia y su gusto para vestirse me han convencido de hacerle esta solicitud. Supuse que una señorita tan cuidada en su traje y en sus maneras debía ser también una magnífica administradora doméstica.

La aludida respiró. Quizá lo que había ocurrido o estaba a punto de ocurrir no era tan malo, después de todo. El maestro la trataba con deferencia, de usted y no de tú, como los señoritos y a veces los maestros pensaban que había que tratar a las campesinas. Elegía las palabras para dirigirse a ella y, además, había reparado en sus modales y en el adorno de su persona.

—Por el sueldo no se preocupe —añadió don Pepiño, tomando su mudez por desconfianza o falta de entusiasmo—. Arreglaremos lo que usted quiera.

—Pues no vendrá mal algún dinero de más en casa. Serán tres veces, entonces.

Felicidad informó a la familia que don José Cabrales la había contratado. Nadie lo objetó, puesto que se trataba de un hombre de respeto. Tampoco los chismosos del pueblo tuvieron nada que decir, ya que trabajaba a solas, y si se cruzaba con el maestro era estando los niños de por medio, porque él los traía para que se volviesen con ella.

Durante un año entero estuvo asistiendo regularmente a lo de Cabrales. El trabajo, como se le había anticipado, era escaso; más trajinaba con sus sobrinos y en el campo. La casa era grande, pero casi deshabitada. En los cuartos cerrados los muebles tenían fundas, y sólo había que ventilarlos y barrer el polvo. El maestro contaba con un guardarropa sobriamente provisto, que ella se aplicó a dominar hasta que la raya de los pantalones pareció dibujada con delineador, y las camisas almidonadas pudieron pararse sobre sus faldones.

Pero por detrás de esas cosas habituales había un espacio ajeno a lo utilitario donde Felicidad entraba silenciosamente y casi en puntas de pie, como se entra a una iglesia. Era el cuarto llamado "La Biblioteca", que guardaba tesoros: no más de trescientos o cuatrocientos libros, en dos muebles con vitrina cuyas llaves lustradas giraba cada día un poco más temprano, porque cada día terminaba un poco antes las tareas obligatorias para entregarse a una lectura crecientemente fluida, a pura fuerza de pasión y de práctica.

Al principio le ocultaba al maestro ese tiempo que casi le parecía robado, pero una mañana don Pepiño, que llegaba más temprano y sin dar aviso, la encontró dando vuelta las páginas de un volumen de astronomía y lejos de reprenderla le ofreció impartirle alguna ilustración gratuita.

—Qué pequeña es esta tierra, don José. Y qué poca cosa parecemos en ella.

—Así es, Felicidad. Pero no por eso valemos menos. El valor de los seres no se mide por su tamaño. Cada uno de nosotros es un mundo en miniatura, con sus planetas, sus soles, sus océanos, sus mareas... Como cajas que están unas dentro de las otras, hasta desaparecer del alcance de la vista.

A veces la asistenta y los niños se quedaban a almorzar con el maestro y las lecciones proseguían en la sobremesa.

Por las noches, antes de perderse en el sueño, Felicidad veía cruzar por delante de sus ojos la triste figura de un caballero melancólico que no obstante se colgaba, empeñoso, de la cola de un cometa. O al Señor Jesús, que predicaba el Sermón de la Montaña para el Emperador Carlomagno y toda su corte, mientras las jirafas, los elefantes y los rinocerontes subían al Arca de Noé bufando y resoplando, no muy convencidos de que venía el Diluvio. "Así nadie ve su mal hasta que lo tiene encima", concluía sabiamente la soñadora, sin calcular hasta qué punto hubiera podido aplicarse a sí misma tales reflexiones.

Pronto llegó a costarle imaginar la vida sin ir a la casa de altos. Se apoderó de Don Pepiño, de sus ropas —gracias a ella, fragantes—, de sus cepillos para los trajes y para el pelo, de sus enseres de escritorio, de sus libros y de sus gestos, con el mismo incondicional arrebato que había puesto en apoderarse de los feligreses de don Evaristo, y de su propia familia cuando la madre estuvo hechizada. También ella tenía mucho ser. Pero si María Antonia, viuda y más o menos rica, había podido emplear medianamente el suyo sobre recaudadores, vecinos, fincas, hijos, yernos, nueras y familiares que de ella dependían, en una muchacha pobre, inculta y no muy agraciada, tanto ser supuraba como una herida infectada y sin cerrar, parecía un desborde inadecuado, un vergonzoso exceso.

Don Pepiño se iba acostumbrando, por su parte, a ese despotismo casi grato, puesto que se basaba en la adoración de su saber y de su persona y le tornaba la vida tanto más fácil, aligerándola de obligaciones materiales, envolviéndola en un capullo sedoso de atenciones y cuidados. Felicidad empezó a manejar también la agenda del maestro y arreglaba sus pocas citas con los padres de los alumnos, y las reuniones con los notables del pueblo. Hasta organizó un agasajo en la propia casa del señor Cabrales donde se lució ella misma en una posición ambigua. Aunque su honor estuviese custodiado por dos sobrinos, mucho más parecía dueña de casa que ama de llaves.

Los vecinos murmuraron, con todo, y alguno de esos murmullos llegó a los oídos del maestro y otros a los oídos de Ramón, el hermano. "Mi hermana es mayor de edad y puede hacer lo que quiera con su vida", le había respondido, asombrosamente, a algún entrometido, "no seré yo quien le pida cuentas de sus actos, después que crió a varios de los hermanos, y que ahora ayuda a criar a mis hijos". Sobre el maestro presionaban las señoras de la pequeña sociedad local, con argumentos atendibles. Que ambos eran de la misma edad, que difícilmente se encontraría otra mujer que uniera una virtud irreprochable a tan sobresalientes dotes para el gobierno doméstico. Que no era bueno, en fin, para la moral pública ni la privada, que toda una autoridad y un personaje como el señor maestro guardase celibato, teniendo empleada en su casa a una señorita de tales cualidades y a la que nada le impedía desposar.

Un día se produjo, por fin, el Acontecimiento Extraordinario. A la salida de la escuela, Don Pepiño llegó a la casa con un ramo de flores. Le propuso formalmente matrimonio delante de tres de sus sobrinos, que nunca llegaron a ponerse de acuerdo acerca de los pormenores de la petición de mano. Dos (Antón y Benito) afirmaron siempre que había sido de pie, y que luego de la aceptación, el maestro había depositado un beso sobre la mano de la prometida. Luisiño en cambio juró —hasta que se lo llevaron las fiebres— que Cabrales se había arrodillado y que su tía le había dado a él un beso en la frente. Los detalles eran lo de menos. Desde aquel día fueron novios oficiales, y, para evitar maledicencias, fijaron pronto la fecha de la boda.

Felicidad se pellizcaba, a veces, para asegurarse de que estaba viva, y de que todo eso le sucedía en la tierra. Ahora que había llegado al colmo de sus anhelos, su exceso de ser se desbordaba en una tolerante, condescendiente —hasta exuberante a veces— magnanimidad universal. Ya ni siquiera tenía ganas de vengarse de quienes la habían humillado o de quienes se habían resistido a sus siempre bienintencionadas directivas. Los celos que antes sintió por Rosa, la indiana, habían desaparecido sin dejar marcas, como una temporaria reacción alérgica. También ella tendría niños y sería la mujer del maestro, mientras que Rosa seguiría siendo la mujer de un granjero.

Entretenida en la preparación del ajuar, congratulada por amigos y hasta por enemigos (esperanzados, quizás, en que la dicha la haría menos fastidiosa), Felicidad era, por fin, feliz. Olvidaba no obstante, la máxima del Eclesiastés, que aconseja no llamar dichoso a ningún hombre (o mujer) hasta que haya muerto.

Cuando pensaba en Don Pepiño (para ella, Xosé) no podía ver en él más que perfecciones. Desde el pelo rubio, levemente ondulado, hasta las manos cuidadas que al contrario de las suyas, no tenían callos de azada ni acusaban el desgaste de la piedra y la tabla de lavar. Pero lo más importante de José Cabrales era su voz, que se abría paso por la selva tupida de las letras y desbrozaba las malezas de los números invasores y ordenaba todas las cosas del mundo según su forma, su peso, su nombre, su medida, para que ella supiese qué eran y dónde estaban y ante nadie pasara vergüenza por ignorar lo que tantos otros sabían sin darse cuenta siquiera, como si sus padres, más afortunados, les hubiesen transmitido junto a la sangre y el dinero, aquellos naturales conocimientos.

Felicidad podía decir, ahora, los nombres de las constelaciones y de los reyes de España y de los peces que nadan por debajo del mar, en una lengua de más prestigio que la de los pescadores analfabetos. Sabía todas las conjugaciones verbales en castellano y las reglas ortográficas, y también que los griegos estuvieron antes que los romanos y que cuando en Grecia sólo había cabras y pueblos salvajes, ya los egipcios habían hecho pirámides donde enterraban a sus reyes, vendados de pies a cabeza y en sarcófagos de oro. De allí tal vez

—dio en pensar— vendría el ostentoso gusto de los gitanos (que decían ser egipcios) por todo lo que pareciese de metal dorado.

Ella, por su parte, estaba más contenta con todos aquellos nuevos saberes que si le hubieran regalado alhajas, y así los usaba a veces, exhibiéndolos como quien muestra los anillos en las reuniones de amigas o las fiestas de familia. Entre tanta exactitud esplendorosa, algunas oscuridades, empero, la desvelaban. Mientras que José Cabrales conocía hasta el último de sus parientes, a ella apenas le había dicho que era huérfano de madre desde niño y que su padre, del que no tenía ni un retrato, vivía en Santiago de Compostela. Don Pepiño iba a visitarlo, presuntamente, un fin de semana por mes. También, presuntamente, había un hermano casado en Coruña. Pero ninguno de los dos había aparecido aún, ni de cuerpo presente ni por escrito, ni había manifestado mayores deseos de conocer a la prometida.

Felicidad podía leer en ello cierta previsible reprobación porque un maestro, hijo de un rentista, se casaba con una simple labradora cuando podía aspirar a destinos mejores, pero no se explicaba, en cambio, otras actitudes más íntimas de Don Pepiño. Mejor dicho, no se explicaba la falta de actitud alguna. José Cabrales, al que bien se podría haber llamado el Casto José, como el de la escandalosa zarzuela que acababa de estrenarse en Madrid, jamás había intentado ir más allá de un apretón de manos, o de un beso en la mejilla o en la frente, en todo el tiempo que Felicidad había sido su asistenta, y en el que llevaban de novios.

Si ni siquiera los curas se avenían con tanta castidad, ¿por qué habían de hacerlo los maestros? Ninguna mujer se ofendía verdaderamente por avances que pudiese considerar signo promisorio de interés y eficaz comportamiento. Bastaba con poner al prometido en su lugar hasta el momento oportuno. Pero don Pepiño no parecía necesitar esta contención femenina, y no hubiese estado bien que ella se propasase con un novio tan recatado.

Una mañana, sin embargo, Felicidad hizo en casa del maestro su último aprendizaje. Las letras de la carta que leyó entonces, encontrada por azar dentro de un libro en una de sus *razzias* de orden bibliotecológico, se le grabaron en el cerebro como nunca se le habían grabado las de la cartilla.

La leyó diez veces, hasta convencerse de que, por ignorante que ella fuese, no cabía otra interpretación posible. Cuando Cabrales llegó de la escuela, la carta estaba puesta encima de la mesa, en vez del plato habitualmente servido.

Mandó a los niños a jugar al patio.

—No era mi intención encontrar esto, pero lo encontré. Tú verás qué me dices.

José Cabrales la estaba mirando, con pena, pero quizá también con alivio.

—¿No te atrevías a confesármelo, verdad? ¿Preferías que me enterara de esta forma, leyéndolo? ¿Por eso no te hablas con tu padre ni con tu hermano, si es que existen? Sin embargo, tendrían que estar los dos contentos con tu boda.

—A lo mejor no lo creen. Ya lo hice una vez.

—¿Qué? ¿Casarte?

—No. Dejé a la novia plantada en el altar. No pude.

—¿Y por qué conmigo podrías? ¿Y por qué yo podría contigo, sabiendo esto?

—Porque tienes mucho que ganar. A los dos nos conviene. Me administrarás el sueldo, mandarás en la casa, no volverás al campo ni cuidarás hijos ajenos, tendrás mi respeto y el respeto de todos, leerás todos los libros que quieras.

—No cuidaré hijos ajenos ni propios, porque no pariré ninguno. Y no habrá libro que me sirva para curar lo que sufra. Pero tu ropa estará limpia y planchada y la comida hecha, y seguirás yendo a Santiago cada mes para ver a tu amante.

—Te olvidas algo. A mi manera te quiero. Eres mi amiga. Un amigo sincero es más de lo que muchas personas tienen en su vida. También te cuidaré como tú cuides de mí. No te dejaré y nos acompañaremos siempre, eso te lo prometo. Perdóname y piénsalo.

Esa tarde, Felicidad mandó a los niños a casa en el carro de un vecino, y caminó sola todo el trayecto de vuelta. No veía la tierra que pisaba. Empezó a rodearla la niebla de Barbanza, cada vez más densa, tupida de sombras y traspasada de rocío, a medida que subía en el cielo la luz de la luna. Creyó encontrarse ya del otro lado, en la tierra de los muertos: alguien sin peso y sin forma, que no deja su huella ni refleja su sombra en el suelo. Alguien que sigue siendo, sin cuerpo que confirme su existencia, condenado a lo intocable y a lo invisible. De pronto, un kilómetro antes de llegar a la casa, empezó a soplar el viento y se despejó la cúpula celeste.

Allí estaban, aún intactas, las estrellas inefables, con sus nombres superfluos. Ella no era nada bajo ese mar lleno de faros distantes que habían vigilado, inmóviles durante milenios, el extravío de las generaciones de los hombres. Sin embargo, también lo era todo. "Hay un mundo dentro de mí, con sus planetas, sus soles, sus mareas", pensó. "No valgo menos".

Lloró una noche y casi un día entero, sin que padres ni hermanos pudieran arrancarle la causa. Cuando amanecía la otra mañana ya tenía decidida su suerte. Se marchaba para Coruña, a servir como dama de compañía de alguna señorona mientras no surgiera algo mejor. Encontraría, si estaba en su destino, un marido entero con pasión completa. Tuvo piedad, no obstante, del maestro sumiso a la tiranía de las llamadas buenas costumbres, y dijo a los suyos que lo dejaba por haber sabido de buena fuente que ya estaba casado, no porque era un varón que escribía cartas de amor a otro varón, al que visitaba en Santiago todos los meses. Sólo Rosa, la cuñada, supo de su secreto.

Felicidad halló en Coruña el marido que estaba buscando. Resultó ser un anarquista, completamente heterosexual, al que ella nunca le dejó practicar el amor libre. Se abocaron a la tarea de hacer de nuevo el mundo injusto, y lograron, al menos, hacer tres hijos y poner una librería con publicaciones libertarias. Los dos muchachos: Prometeo y Anarcos, murieron como milicianos en la Guerra Civil. Sus padres llegaron a cruzar la frontera con la última hija.

Placer vive aún en el sur de Francia y en las horas oscuras, cuando todos nos sentimos apenas una mota de polvo que pasa arrastrada por un viento inmemorial hacia la inmensidad remota, busca las estrellas, los planetas, los mares, en el mundo que gira sin descanso dentro de ella.

El tesoro del tío cura de Cespón

La disputa entre ateos y creyentes, la querella entre feligreses y anticlericales, era tan antigua y constante en la familia de mi padre como la de las armas y las letras o la de corte y aldea en la historia de la cultura. En la familia de mi madre nunca la hubo porque todos, salvo el abuelo Francisco y el tío Adolfo, eran clericales, aunque algunos distaban mucho (a pesar de eso, o quizás a causa de eso) de ser creyentes.

No por esta disputa los ateos y anticlericales se oponían de manera intolerante a esos ritos que los pro clericales, y a veces los creyentes, se obstinan en celebrar, por considerarlos indispensables para que el sol siga saliendo y el mundo andando, aunque para ello haya que sacrificar, como entre los aztecas, diez mil bellos y nobles guerreros adolescentes. Las pretensiones de los feligreses de la familia eran por cierto más inocuas y más discretas (al menos hasta la Guerra Civil nadie había pensado en alimentar a un dios iracundo con sangre humana), de modo que siguieron festejándose bautizos y comuniones, casamientos y funerales. Los ateos asistían, displicentes, a todas las ceremonias, a uno y otro lado del océano, y también las pagaban. Cuanto más ateos, más llamativas solían ser las fiestas, acaso porque sus mujeres las organizaban de tal modo para que San Pedro se las tuviera en cuenta, y se compensase con ellas su déficit de piedad cotidiana.

Los ateos y anticlericales declarados y confesos eran, pues, varones. No hubo mujeres del mismo estilo hasta Felicidad (que había sido creyente, y siguió creyendo después, pero en el anarquismo, luego de su desengaño con don Evaristo y con el maestro Cabrales). No todos los varones eran ateos tampoco. El tío Suso nunca lo fue. Ni el bisabuelo Luís Ventoso, que supuso haberse medido con el Demonio mismo. En cuanto al tío Benito, creía según los vaivenes de su humor y sus enfermedades, aunque eso no significaba que tuviese una opinión muy buena del Dios que había hecho tan imperfectos al mundo y a sus habitantes.

Todas y todos, anticlerales y feligreses, ateos y creyentes, coincidían, empero, en un hecho doloroso: el tío cura de Cespón era un malvado. La culpa —concordaban también— había sido de su padre, el hermano de mi bisabuelo Benito, que había metido al hijo más rebelde en el seminario para que se disciplinase, así como a otros, díscolos, arrogantes, y a veces, sádicos natos, los mandan a hacer la carrera militar. El cura de Cespón tenía todos los defectos necesarios y suficientes para proveer del ejemplo más adecuado a los protestantes que critican al Vaticano y a la corrupción sexual del celibato papista. También servía maravillosamente a los maximalistas de toda índole para exhibir los vicios propios de cualquier clero y por supuesto, consternaba de amargura y de vergüenza ajena a los católicos honestos, a quienes sólo les quedaba la alternativa de proclamar (con mansedumbre hipócrita, según sus adversarios), que lo importante era el mensaje y no las múltiples fallas y defecciones del mensajero.

No hubo justicia civil ni eclesiástica que alguna vez castigase los desmanes del tío cura. Salvo por el veredicto, pueril o angélico, de Domingos, el inocente, que lo tenía como uno de sus blancos favoritos cuando arrojaba el contenido de sus célebres orinales desde los techos. La lujuria del tío de Cespón no era, sin embargo, lo que más disgustaba a los miembros de la familia. No escandalizaba demasiado tampoco al resto de los parroquianos. Lejos de los dramas de la honra que explotan en las tierras cálidas y secas del Sur de España, las cuestiones del amor y del sexo suelen dirimirse en Galicia puertas adentro, sin que corra la sangre. No pocos estaban dispuestos a entender los deslices de un cura aburrido, siquiera como entretenimiento para los días de lluvia interminable.

Otro pecado era el que no tenía perdón, porque es otra la pasión desenfrenada que corroe la memoria y quema la sangre en los valles siempre húmedos del Norte. Así como los expertos en las Escrituras pueden recitar hacia atrás todas las generaciones de los patriarcas de Israel, cualquier dueño de fincas era por entonces capaz de remontarse a las divisiones y sucesiones de tierra practicadas cincuenta años atrás y podía decir, sin equivocarse, en qué fecha se había hecho la partición de tal o cual campo de pinos, y qué árboles habían quedado de un lado y cuáles del otro. Ni las lluvias torrenciales, ni la madeja de cruzados testamentos borraban u obstruían esos recuerdos imperecederos. El tío cura de Cespón, desafiándolo todo, había embrollado papeles y difuminado herencias en su exclusivo beneficio, riéndose de la sabiduría de Maquiavelo, según la cual las ofensas contra la propiedad son aún peores que las ofensas contra la vida. Si alguna vez se deja de llorar a los muertos, en cambio el duelo por los bienes perdidos persigue eternamente a los herederos.

Y tanto más porque no eran ésos, claro, cualquier clase de bienes. No eran joyas, ni ropas ni muebles ni cheques ni casas en ciudades distantes. Eran tierras. La tierra sagrada, la inmediata al lugar donde se ha nacido y donde se piensa morir, que no puede compararse a ninguna otra tierra en el vasto mundo. Para aquellos que se quedaban obstinadamente, contra toda sensatez, diez acres junto a la casa natal valían más que cien o mil hectáreas en las pampas argentinas o en los llanos de Venezuela.

A su codicia por las tierras de otros, el cura de Cespón sumaba el delito de haber defraudado la fe de los inocentes. No la de Domingos, el hijo del abuelo Benito, que jamás había tenido en él fe ninguna, sino la de dos criaditas que no llegaban a los doce años y que servían en la casa de la parroquia. No se trató aquí de un pecado de infame pedofilia, ya que el tío cura no tenía inclinación alguna por los púberes, ni del sexo femenino ni del masculino. Su debilidad eran las mujeronas, bien alimentadas, altas, anchas, en pleno florecimiento de la carne, sin llegar a ser francamente adiposas.

La defraudación ocurrió cuando las nenas encontraron el tesoro. Encontrar un tesoro de verdad, en lingotes o en doblones resplandecientes, guardado acaso por un hada con forma de hilandera, era antes el sueño irrenunciable de cualquier hijo de Galicia.

Según se contó y se volvió a contar cientos de veces, las nenas de la casa del cura estaban esa mañana encargadas de ventilar y limpiar los armarios para guardar luego las ropas de invierno con los bolsillos llenos de bolitas de naftalina. El sol entraba por la ventana, para dar una mano de lustre a los muebles viejos, y no llovía. Las criaditas jugaban con los dibujos de la luz sobre las ropas oscuras, luego empezaron a arrojarse perlas de naftalina, y una de ellas se refugió entre las sotanas viejas y el largo manteo clerical que colgaba aún de una de las perchas. De pronto, en medio de los forcejeos con su hermana, que intentaba desprenderla de aquellos trapos, el fondo del armario cedió, no para llevarla al país de Narnia, pero sí a la ruta del tesoro escondido.

Detrás de la chapa de madera ya apolillada, contra la pared del cuarto, apareció un hueco, una brecha en el muro que comunicaba esa pared con el edificio de la iglesia al que la casa se adosaba. Allí, en ese hueco, esperando desde quien sabía cuántos siglos, estaban las talegas. Unas sacas viejas, de una especie de lona casi destrozada y con olor a orines, pero donde relucían las monedas. La niña que las vio primero juró que encima de ellas había una *fada* pequeña. No estaba vestida de hilandera, ni de bruja de cuento. Giraba deliciosamente, toda ella, sobre la punta de su pie derecho mostrando las piernas blancas y carnosas, como la bailarina que había visto meses atrás, en la vidriera de un bazar de Noia y la envolvía una suerte de gasa o espuma dorada que bien podía ser un efecto de la reverberación de las monedas.

La otra niña, que acudió enseguida a su llamado, no vio al hada, pero sí vio el oro. Quedaron extasiadas, inmóviles. Primero tuvieron miedo de avisar al cura, por si se enojaba debido a la rotura del fondo del armario. Pero después razonaron que eso le importaría poco, ya que había aparecido, gracias al golpe, un tesoro inaudito.

El cura de Cespón no se enfadó, en efecto. Después de apartar el armario desfondado, abrió las talegas malolientes, sopesó algunas monedas, las miró, cara y ceca, bajo el sol de primavera, y hasta les hincó el diente. Luego cerró las bolsas, con todas las monedas adentro y volvió a colocar el armario en su sitio. Contra su costumbre, invitó a las niñas a la cocina, a tomar un refresco, y hasta les dio, a cada una, un trozo de tarta de Santiago, y una onza de chocolate, que estaban bien guardados, bajo llave como otro tesoro, en las profundidades de la despensa.

—Habéis hecho muy bien en advertirme, hijas mías. Como sabéis, el Demonio tiene infinitas maneras de engañar a los buenos cristianos. Y éste bien pudiera ser uno de sus engaños. Hay que ser cautelosos y esperar. Quién sabe si mañana todo eso no ha desaparecido, porque sólo era fruto de las malas artes de Satanás. Por el momento os encarezco que no digáis nada a nadie.

Las niñas volvieron a su casa a la hora de costumbre y cumplieron la palabra de secreto que le habían dado al cura. A la mañana siguiente llegaron a la parroquia arreboladas y jadeantes. Cuando el cura les abrió la puerta intentaron descifrar en su semblante la buena nueva del tesoro. Pero no vieron nada, y se le quedaron mirando.

—¿Qué pasa, niñas? ¿Es que tengo monos en la cara? ¿No vais a entrar?

—¿Y el tesoro, padre? —se animó a preguntar una de las nenas—. ¿No tiene usted noticias?

El cura sacudió la cabeza.

—Ya os dije, niñas, que no hay que ser apresurados con estas cosas. Hala, vamos a ver.

Entraron al cuarto de las sotanas y abrieron el armario, que seguía desfondado. Pero en el muro de atrás no había hueco alguno. La pared estaba perfecta y sospechosamente entera. La niña mayor, que logró acercarse hasta casi tocarla con la nariz, antes de que el cura la tomase de una trenza, dijo después que las junturas olían a argamasa fresca.

—Bueno, pues ya veis que no hay nada. Ya os tenía avisadas que los engaños de Lucifer son infinitos.

Al día siguiente, el cura tuvo que hacer una gestión urgentísima en Santiago de Compostela. Marchó muy temprano, casi al alba, y dejó cerrada la casa de la que faltó varios días.

Las niñas quedaron mustias, desconsoladas, cada vez más convencidas de que entre los engaños de Satán estaba el de tomar, de cuando en cuando, forma de cura. Para cuando el tío de Cespón volvió, sus padres ya estaban enterados de todo, y se presentaron a la parroquia, con otros vecinos de testigos, para pedir explicaciones.

El cura los recibió amablemente, y hasta les ofreció rosquillas y copitas de *oruxo*.

—Pero, hijos míos, ¿de qué tesoro me habláis? Vamos, parece mentira que personas mayores como vosotros crean todavía en esas patrañas.

—Pero, padre, si se desfondó el armario…

—Y desfondado está, que tengo que mandar repararlo. Eso me pasa por haceros la caridad de emplear a dos rapazas torpes que juegan mucho más de lo que limpian.

El cura les mostró la habitación, el armario roto, la pared, donde la argamasa, ahora, parecía bien seca, como si el muro hubiese estado siempre completo.

—Pero, padre —terció la descubridora del tesoro—, si aquí había una *fada* con traje de bailarina.

—¿No veis? ¿Es posible que hombres de barba se lleguen hasta aquí traídos por las fantasías de una criatura? —dijo el cura, muerto de risa.

El padre de las niñas se las llevó de la mano, lleno de ira y vergüenza. Las hermanitas no trabajaron más en la casa del sacerdote, que contrató una mujerona para todo servicio. Meses después, él mismo consiguió un traslado de parroquia.

Dicen que el cura avaricioso vivió hasta viejo, en Ourense, y que no le sirvió de nada el haberse quedado con las tierras de muchos parientes de Barbanza, pues era tanta su mala fama y la inquina que se le tenía, que no podía llegarse hasta allí para disfrutarlas.

Dicen que estaba cada vez más flaco, rodeado por un trío de "*sobriñas*" que parecían (según el médico de Noia, que alguna vez fue a verlo), las tres Gracias de Rubens, por lo gordas. Las damas de aquel harén, alimentadas con alfónsigos y almendras, envueltas en metros de holandas y puntillas, fueron las únicas que sacaron provecho del tesoro escondido. Cuando el cura murió, estragado, sediento y hambriento como el rey Midas porque no había oro que le curase el estómago, cada una de las Gracias tuvo casa y coche, y hasta un silencioso galán que la servía.

Su historia lo sobrevivió sellando la alianza familiar entre ateos y creyentes, que concordaban todos en ese solo punto: condenar las maldades del tío cura de Cespón.

El alma vegetal de Antón, el rojo

Antón, mi padre, no había sido siempre, claro, Antón, el rojo. Así lo llamaron, después de la guerra, algunos vecinos franquistas que, por lo demás, identificaban secreta o públicamente con ese apodo a todos los hombres de la casa de María Antonia, aunque mi tío Suso, el menor, no había tenido tiempo de ser rojo ni azul ni amarillo. Así lo llamaría también, pero quitándole el Antón, y dejando sólo "el rojo", mi abuela materna, en la época en que la inquina entre los dos había llegado a tal extremo, que la abuela se hacía servir el almuerzo de los domingos en su dormitorio, pretextando enfermedad, con tal de no verlo.

Antes de ser el rojo enemigo de su suegra Julia, antes de tener una novia rica en Vigo y otra, farmacéutica, en Coruña, antes de gastarse el dinero de la mina de wolfram de Don Alfonso en negocios extravagantes, antes de estar detenido en Madrid, y de perder la guerra, y de haber querido pilotear aviones de combate, y de haber leído a Bakunin y a Kropotkin, antes, mucho antes, Antón era sólo uno de los tantos bisnietos de María Antonia y tenía un carnero amaestrado que —a una señal suya— lo defendía de todos sus adversarios en las riñas escolares, cuando las cosas llegaban a un punto intolerable.

Esa y otras anécdotas de su infancia campesina que solía contar en la sobremesa, para divertirnos, provocaban después la crítica despiadada de su suegra, que ya veía en ese niño de Barbanza la predisposición a la desvergüenza y la blasfemia que caracterizarían al adulto. ¿No demostraba, acaso, una maldad innata, el hecho de que Antón fuese capaz de apedrear un gallo para que cojease, y luego convencer a su madre de que convenía sacrificarlo y cocinarlo, ya que de todos modos se moriría pronto, porque estaba enfermo? A mi juicio, eso parecía demostrar sólo el hambre de buena comida de los hijos de Rosa, que desayunaban cotidianamente con pan de borona, y nada más que en las fiestas veían el de trigo.

Antón, empero, no recordaba haber sido desdichado. Por el contrario, eran esos días los que ocupaban en su memoria el espacio de una felicidad inimitable. ¿Significaba eso que Antón no apreciaba los indiscutidos triunfos que a pesar de todo habían jalonado las etapas de una vida difícil? ¿No era, acaso, un exitoso sobreviviente donde tantos habían muerto o habían quedado mutilados y rotos? ¿No había puesto, en América, casa y negocio? ¿No se había casado con doña Ana, la Bella, que además era madrileña? ¿No tenía dos hijos?

Sin embargo, aun en aquellos momentos, todavía rebosante de salud, de fortaleza, de proyectos y hasta de buena fortuna, Antón se obstinaba en situar en ese pasado remoto y pobre el centro de su existencia y el irrecuperable lugar de la perfección. Aquellas cosas añoradas estaban embellecidas por una distancia imposible de acortar: la del exilio. Se habían vuelto intocables, a la vez ofrecidas y selladas tras el cristal más puro del deseo. Tardé en entenderlo: mi padre había traído con él su Paraíso Perdido.

Un lugar que antaño había resultado limitado y pequeño para el adolescente ansioso por ver y conquistar la gran ciudad, una aldea de infancia sumida entre montañas, iba a convertirse, años más tarde, en el Centro del Universo, manantial, siempre renovado, de una vida tan antigua que se extraviaba en la noche de los tiempos, entre brillos de cascos romanos, y más lejos aún, de orfebrerías celtas y enormes piedras blancas brotadas del suelo, como huellas de dioses gigantescos. Ningún elemento del legado materno (la Gran Vía madrileña con sus cafés, el Paseo de la Castellana, la Cibeles, ni siquiera el Museo del Prado), pudo competir —al menos para mí— con la belleza secreta de ese mundo arcaico y por lo tanto inmortal y seguramente mágico, porque en él había quedado presa el alma de mi padre. Ése fue mi segundo descubrimiento: que un hombre terco y obstinado, duro por fuera como las nueces que gustaba partir con los dientes, tuviese, sin embargo, una inconfesable alma vegetal, húmeda y densa como la niebla que cubre, en las mañanas de invierno, las laderas de Barbanza. Tal como ella, su alma se aferraba a los seres de la montaña, se desgarraba cuando se desprendía, y no era nada cuando la aventaba la luz, con sus claras distancias. Tuve la certeza de que Barbanza jamás había liberado ni liberaría el alma de mi padre muchos años más tarde. Ya era viejo, pero sobre todo estaba enfermo. La inteligencia empezaba a deshacérsele. Una carcoma invisible le roía la precisión de los números y desarticulaba el orgullo de los pensamientos. Entonces podía escucharse, nítidamente, la voz del alma desde otro sitio. En pleno invierno austral, protegido sólo con la ropa interior, se escapaba de la cama al jardín helado para pescar truchas con las manos en el río Coroño, del lado en que la sombra del bosque caía sobre el agua. Cuando lo arropábamos otra vez, reprendiéndolo, como a un chico, se quejaba furioso. Pedía que lo dejásemos bajar a tiempo del tren que lo llevaba de Madrid a las montañas. Estaba en su licencia de servicio, durante la guerra, y en la estación lo esperaban un perro y el carnero, ya envejecido, tan bien adiestrado y tan doméstico como el perro mismo.

Durante toda nuestra infancia nos instruyó sobre su colección preciosa de objetos míticos con la desenvoltura y la exactitud del experto que va abriendo a un público lego y ansioso los tesoros de un museo. Pronto los objetos escapaban de sus vitrinas, incontenibles: había un enorme castaño de ramas retorcidas cuyo tronco había servido para labrar los muebles de toda una casa. Había una rueca y un arcón que guardaba sábanas de lino, y otro que custodiaba los papeles, luego perdidos, del enigmático antepasado, "el escribano de Indias". Había hilanderas con un pañuelo en la cabeza, arrugadas y dulces como las uvas pasas. Había lobos recortados como figuras de un cuento contra la luna llena, y cacerías que dejaban en el monte un rastro de sangre interrumpido.

La luz que emanaba de estos objetos desacreditaba en los seres de la tierra inmediata toda posibilidad de autónomo valor. Para quien nace en el exilio, el lugar de su nacimiento tiene a menudo la dudosa calidad de las copias platónicas, es un mundo "de segundo grado", en tono menor, a punto de desvanecerse, deslucido e insuficiente. De la historia y la geografía argentina, hasta entonces, sólo me habían hablado los libros de escuela, incapaces de alcanzar el esplendor de la memoria viva y el peso candente del extrañamiento. La biografía familiar —yo lo ignoraba entonces— no hacía sino repetir lo que la ensayística argentina había rastreado ya en los comienzos de la conquista del Plata: una fundación que nunca se terminó de realizar, porque las extensiones vacías u hostiles fueron pobladas con el espíritu del "campamento" y no de la permanencia, porque se las enfrentó con la ignorancia (o el desprecio) hacia los númenes de la tierra nueva.

Mi padre, que no creía en Dios, creía en los árboles. Como lo hiciera Rafael Alberti, fuimos a vivir a Castelar, donde había muchos, y las casas tenían y tienen amplios jardines. En el parque trasero de la nuestra ya había un ciruelo, y varios árboles frutales. Pero mi padre plantó, también, un joven castaño. Era su árbol fundador, después de todo, un verdadero "árbol madre": árbol de la vida, árbol del mundo, eje cósmico capaz de abastecer las necesidades de toda una familia, y por extensión, de la especie humana. En sus hojas rejuvenecía, cada primavera, la esperanza del reencuentro. Pero los castaños no se avienen con el clima de Buenos Aires: los frutos eran muy malos, casi raquíticos, ni siquiera valía la pena extraerlos de su coraza puntiaguda. Sin embargo, el castaño dio otro fruto mejor y más esperado. Cuando ya mi padre había muerto pude, por fin, volver a la tierra que yo aún no conocía, y donde él no llegó a retornar nunca. A mi regreso, el castaño empezó a morir, irremediable y violento. En un mes se había secado de la copa a las raíces. Comprendí que simplemente daba por cumplida su misión terrena, que siempre había estado allí sólo para encarnar la fuerza del deseo, la poderosa pulsión de la nostalgia, el primer mandamiento que se le impone al hijo del exilio.

El primo Rafael

A Rafaeliño, el bígamo, se lo conocía en casa por el nombre común y respetable de "el primo Rafael". No por eso dejaba de comentarse, en alguna sobremesa, que tenía dos esposas, aunque de hecho viviese como cualquiera de los hombres que sólo tienen una. Lo que más le intrigaba a mi padre, en las escasas reflexiones públicas que le dedicó a la bigamia de su primo hermano, era que hubiese elegido, en la Argentina, una mujer que parecía un duplicado de aquella con la que se había casado en Galicia. A lo sumo eso probaba, a mi entender, que Rafaeliño, lejos de ser un alocado picaflor a quien únicamente movía el codicioso afán de novedades, era hombre de costumbres y gustos definidos. Papá insistía, con todo, en sus argumentos.

—Pero si fue un matrimonio arreglado entre familias. Si lo casaron a poco de cumplir los diecinueve años. Ya que hizo esa barbaridad de dejar plantada a una mujer y a dos hijos, por lo menos podría haber variado un poco, para que valiera la pena.

No conocí nunca a la que había quedado en la aldea, expuesta a la murmuración de los vecinos, ni casada ni viuda. La consorte de Buenos Aires, gallega también, era un Botero de tamaño chico: bajita, esponjosa, blanquísima y redonda como un pastel de merengue. Tenía en las mejillas dos manchas naturales de color rojo que parecían dibujadas como las de Betty Boop. Los ojos azules, grandes y un poco salidos hacia fuera, como los de un pez curioso y ornamental, miraban el mundo con satisfacción tranquila. Estaba contenta, al parecer, de haberse casado con Rafaeliño (cuya bigamia desconocía por completo) cuando ya frisaba los treinta años y comenzaba a perder las esperanzas de encontrar marido.

Vivían en un departamento reducido, con un patio interior también mínimo y atestado de plantas. Algunas de ellas daban flor, y en primavera doña Asunción, confirmando su nombre, se sentaba entre ellas como si fuera la misma madre de Dios subida a los cielos e instalada en su reino. Entre aquellas cuatro paredes, con un techo que se llenaba suavemente de estrellas en las noches despejadas del verano, se cifraba el cumplimiento de un sueño. Asunción se había liberado del trabajo bruto, del campo esclavizante, quizá sólo hermoso para quienes no necesitan trabajar en él y pueden verlo nada más como un paisaje.

Adentro, en los tres cuartos de la casa, disfrutaba de su colección de tesoros. Una sala con muebles de nogal, lustrados, de patas curvas; la mesa cubierta con una plancha de vidrio para evitar raspones e injurias a la noble madera, la fotografía de matrimonio, levemente coloreada, bombé, y los almohadones y las cortinas y las carpetas de mesa y los cubrecamas y las toallas con borde de crochet que Asunción —capaz de tejer hasta los rayos del sol que daba sobre su jardín miniaturista— había hecho en sus días llenos de infinitos ratos libres, como los quesos espumosos están colmados de agujeros.

Tuvieron una única hija, Serena, que pronto creció, se casó y dejó la casa donde su madre pudo, por fin, jugar a sus anchas sin nada que la interrumpiera. Sobre la cama matrimonial, entre los almohadones bordados, relucían los ojos abiertos, saltones y azules de varias muñecas de porcelana, vestidas de diario, de tarde o de casamiento. Pero la muñeca principal era ella misma, rubicunda y sedosa, que ponía la mesa del té para las visitas y les ofrecía tortas hechas en casa junto a unas copitas labradas y llenas de anís o de licor de huevo.

Sólo en algunos momentos ese orden delicado temblaba y se desbarajustaba hasta casi romperse. Unos pasos comenzaban a retumbar en el lejano pasillo, como retumbaban y temblaban en el cuento de Juanito y las habichuelas, cuando el ogro volvía a su palacio. Un vozarrón alegre y desafinado barría el aire quieto y compacto de la entrada. *Oliñas veñen, oliñas veñen e van... No te embarques, rianxeira, que te vas a marear,* decía la canción tambaleante minutos antes de que un dedo índice se clavase en el timbre de la puerta de casa con anticipada fruición de dueño.

Asunción suspiraba entonces. Cuando aún era joven, en el suspiro predominaba el deseo. Rafaeliño, un real mozo, maquinista con empaque de capitán, volvía de sus viajes con la marina mercante, trayendo el mundo. Solía llevar una valija en cada mano. En una guardaba ropa sucia, en la otra, maravillas. Golosinas de puertos extranjeros, más muñecas para añadir a la población de bagatelas que tupía, velozmente, todas las superficies. Había café de Bogotá, sobres de canela en rama que perfumaban la cocina durante meses enteros, y hasta algún cigarro puro que Asunción, naturalmente, no probaba, pero que le gustaba oler, cuando Rafaeliño se lo fumaba en el jardín enano, sentado en el más grande de los sillones de hierro, que aun así parecía pequeño para su porte de hombre corpulento.

Con el tiempo, sin embargo, en el suspiro de Asunción comenzó a pesar mucho menos el deseo que el fastidio.

Rafaeliño ya no regresaba de largos periplos que lo habían tenido fuera el tiempo suficiente como para que se pudiera extrañarlo. Marino jubilado y aburrido, volvía apenas del almacén de la esquina, donde compraba siempre más vino o más cerveza de lo conveniente. Ya no cantaba *A Virxe de Guadalupe*, sino a lo sumo una versión ladrada de *Los borrachos en el cementerio*. Y los pasos retumbantes que sacaban chispas y temblores a las baldosas del pasillo y a veces a la columna vertebral de la mujer que lo esperaba, empezaron a arrastrarse cansinamente, calzados como estaban con zapatillas domésticas, y no con vibrantes zapatos o borceguíes.

Por esa época, Asunción le confiaría a doña Ana, mi madre, que estaba harta de dormir junto a ese hombre pesado, con aliento a cerveza y movimientos de marsopa, que la dejaba invariablemente destapada con dos tirones de manta, y que sólo conservaba, de sus tiempos de galán, la coquetería de teñirse el pelo.

En los años de mi infancia aún no había comenzado esa lenta decadencia de Rafaeliño, alias "El Tiburón", que era la sal de cualquier fiesta y el invitado preferido de los parientes. Domingo por medio llegaba a casa, donde lo esperaba siempre el aperitivo servido: vermú Cinzano, agua tónica, cubitos de hielo, platos colmados de trozos de queso Mar del Plata, aceitunas y maníes salados. El Tiburón, jovialmente, lo devoraba todo, como los tiburones de verdad devoran peces y hasta jovencitas desprevenidas, aunque él no inspiraba, por lo general, ningún sentimiento de temor o repugnancia.

Por lo demás, aun en domingo, el Tiburón estaba dispuesto a ofrecer de buen grado su fuerza de trabajo. Entre las muchas cosas que había aprendido en la marina mercante, figuraba el rubro de peluquería. Si bien era perfectamente ateo, había sido el padrino de bautismo de mi único hermano, hijo de otro ateo que había aceptado bautizarnos sólo para complacer a las mujeres de la familia. El Tiburón se presentaba en casa a eso de las once de la mañana, munido de un maletín con todos los instrumentos necesarios, y sentaba a mi hermano en una silla alta. Mientras duraba todo el proceso, el beneficiario (o la víctima) miraba al suelo con ojos desorbitados (los mismos que pondría, por más graves motivos, muchos años más tarde). Era el único que tomaba en serio el apodo de Tiburón que su padrino se había adjudicado a sí mismo con humor jactancioso.

Muchas veces lo acompañaban Asunción y la niña. Serena, a pesar de su nombre, era hosca, ceñuda, caprichosa y disconforme. Tanto, que un día, cuando llegó a la edad para hacerlo, se tiñó completamente de negro azabache el magnífico pelo caoba claro, que lanzaba desde lejos resplandores de poniente. No me hacía caso ninguno, porque me llevaba más de diez años y usaba medias de *nylon* con raya trasera y medio taco, cuando yo apenas calzaba mocasines con medias cortas de lana o algodón. Asunción traía siempre algún regalo hecho por sus manos, desde un pañuelo con randas hasta una confitura. En los cumpleaños, era la primera en llegar, siempre con la torta de la fiesta bañada en glucosa y pasta de almendras, que —una vez armada— casi alcanzaba la módica estatura de la repostera.

La torta llevaba perlas de plata y confites a lo largo de su contorno, y cuando era para mí, rosas pequeñas hechas de azúcar. Asunción, que había pasado la infancia privada de todo, no sabía qué obsequiarles a los niños de la familia para que fueran dichosos en el inverosímil granero del mundo, en la tierra de la abundancia. Su mejor regalo —deslumbrante hasta cegar, como una marca de sol grabada en la retina— fue un atuendo de lagarterana bordado íntegramente de lentejuelas, que llevé unos carnavales, antes de cumplir los cinco años. Dicen que hubo carrozas, cohetes, fuegos artificiales, bombas de mal olor, papel picado, matracas, murgas, reyes y reinas de estrás y fantasía. No recuerdo nada, salvo la falda suntuosa de ese traje toledano donde las lentejuelas trazaban dibujos de pájaros y flores, y su delantalito de adorno, que parecía hecho sólo para cocinarles pasteles de ambrosía a los arcángeles.

En aquel tiempo, Asunción, Rafaeliño y mi padre eran, sin duda, felices. Doña Ana, casi seguramente no, porque no había nacido para la felicidad, así como mi tío Adolfo, que venía a refugiarse en nuestra casa algunos inviernos como una cigarra hambrienta, no había nacido para trabajar. Pero *todo se acaba, queridiña.* ¿Cómo, pues, no se va a acabar el capital más escaso de la tierra, que es la felicidad? ¿Cuándo terminó la felicidad de Rafaeliño el bígamo y de su segunda mujer, que creía ser la primera y única, en la casa de muñecas? Lo escandaloso —decían sus parientes políticos de la otra orilla— era que alguna vez hubiese podido ser feliz ese hombre sin alma y sin escrúpulos. Aunque su pecado era más grave que una piedra de moler colgada del cuello, aunque debía precipitarlo en el pozo más hondo del infierno, Rafaeliño, sin embargo, parecía cargarlo como un millonario despreocupado hubiese lucido sobre la cabeza engominada y perfumada, un sombrero rancho de última moda y de paja fina.

El bígamo, es verdad, había mandado dinero a los hijos pequeños y abandonados mientras navegaba y hacía diferencias con el contrabando. ¿Pero es eso un padre? ¿Una remesa de moneda fuerte, un apellido inútil, una fotografía que da vergüenza y cólera mirar, un hueco en la pared de donde se ha quitado, por fin, esa fotografía insoportable? Lo cierto es que los últimos años de Rafaeliño no fueron buenos, y eso quizás hubiera consolado a los parientes de la primera esposa que no se murieron antes que él, a no mediar el simple hecho de que no suelen ser buenos los últimos años de nadie. Bien sabido es por todos los mortales que se llega a la sepultura generalmente por los propios medios y arrastrando cada vez con mayores trabajos el carro de la vida, al que se suben para quedarse enfermedades y decepciones, o hijos desagradecidos, o yernos y nueras que son para los suegros como un segundo matrimonio, pero forzado y forzoso.

¿Qué le molestaría más a Rafaeliño? ¿Que tardaba quince horas en digerir medianamente un puchero de cerdo, con rabo y orejas? ¿Que ya no podía beber dos vasos de vino o un porrón de cerveza, sin que el hígado protestase como si le hubiesen echado ácido?

¿O se trataba, simplemente, de que era un tiburón oceánico exiliado para siempre de la profundidad marina, encallado en una bañadera con medio metro de agua, donde ni siquiera podía darse la vuelta? El patio chico había dejado de ser una isla agradable donde recalaba de cuando en cuando, para convertirse en una cárcel, un calabozo sin techo, un hueco húmedo y humillante perdido en una ciudad suburbana de un país inmenso donde siempre sería un extraño.

¿Pensaba, acaso, en la mujer y los hijos que había dejado en un lugar al que no podría volver? Todos volvían, sin embargo, aunque fuese de visita, salvo los rojos que habían jurado no pisar España mientras no muriese el Caudillo. Rafaeliño, que nunca había sido muy político, se aferraba a esa promesa que él no había hecho como a un artículo de fe. "Pero hombre, si ya se puede, si hasta marchó Ribadulla, que estuvo preso con toda la familia, y no lo incomodó nadie", insistía su mujer de Buenos Aires. "No es porque me incomoden, ni porque tenga miedo, es cuestión de principios", retrucaba el Tiburón, con argumentos cada vez menos atendibles, que agonizaban en el silencio.

Asunción, ahogada en el resentimiento, ya casi no paraba en casa. Se había anotado en clases de yoga, y en clases de repostería, y en viajes de jubilados y apenas hablaba con ese hombre incomprensible que no sólo no le daba el gusto de volver a España, sino que le había invadido la cocina con horribles despojos de cerdo y con caparazones de centollas, que amontonaba toallas húmedas en el baño y se acostaba a dormir interminables siestas encima de la colcha de raso, sin siquiera quitarse los zapatos.

Para cuando Franco murió por fin, no tenían manera de volver, aunque Rafaeliño hubiese estado dispuesto. La brutal devaluación del peso decretada por el ministro de Isabel Perón, Celestino Rodrigo, y que se llamó, en su improbable homenaje, "rodrigazo", les había comido todos los ahorros. El Tiburón dejó este mundo poco después. Había muerto en Buenos Aires y a pie. No hubo buque mercante ni dorna vikinga que llevase sus cenizas a Finisterre, el único lugar por donde las ánimas de los gallegos pueden entrar al Paraíso o al Infierno.

Asunción lo lloró dignamente, hasta enterarse de que había sido bígamo, cuando quiso hacer trámites para cobrar la herencia de fincas, que ya eran de los otros hijos. Con gusto lo hubiera hecho resucitar, aunque fuera para darle un par de bofetadas y abandonarlo luego y que recién entonces se muriera solo, como merecía, después de haber hecho desgraciadas a dos familias. Fue su hija Serena, sin embargo, que ya lo sabía todo desde antes, la que la calmó. "Pero si nunca fuimos desgraciadas. ¿No te das cuenta de que la otra llevó la peor parte? ¿Que podría haber venido cualquiera de los suyos a decirte todo lo que pasaba? Sin embargo, nadie lo hizo, porque ella pidió expresamente que no te molestaran. Dijo que no tenías la culpa de nada, y que con el sufrimiento de una sola ya era bastante."

Asunción calló para siempre, aunque quitó del living la foto de casamiento, y nunca llevaba flores al cementerio. Muchos años después conocí a la hija de la otra mujer, en Barbanza. Iba vestida como una campesina antigua, con sombrero de *toxo*, y parecía una versión femenina y triste de Rafaeliño. Conservaba las ropas y los hábitos de la pobreza que habían sufrido mientras el padre navegaba por los mares del mundo o descansaba en su oasis minúsculo de la tierra de la abundancia. Ahora ellos eran los ricos. Con lo que valían la casa de la aldea y las fincas se hubieran podido comprar en Buenos Aires diez departamentos como el que tuvo Rafaeliño. Me miró los pies. "Todos hablaban de los cueros y de la carne de la Argentina. Él nos mandó en una ocasión zapatos parecidos a los que tienes puestos, aunque ésos brillaban más, porque eran de charol. Pero mi madre no quiso que los usáramos. No por enojo, sino porque las suelas finas no iban a resistir la lluvia y el lodo como los soportaban los zuecos.

Aquí no había caminos. Me los puse dos veces, una para una comunión, la otra para un casamiento. Luego me crecieron los pies, y ya no pude llevarlos. Todavía los conservo. Están en el dormitorio, encima de una repisa, como si fueran adornos. ¿Te parece que estoy loca?"

"No me parece", le dije.

Me fui cuesta abajo, hacia la casa del tío Benito, y pasé frente a la finca de los abuelos que ahora pertenecía al otro hijo del primo Rafael, y cuya puerta no me había querido abrir. Quizá para que no viese sus propios zapatos de niño, sobrevivientes a las guerras del tiempo y los odios de la memoria, como quienes vuelven de un campo arrasado.

La otra vida de Antón, el rojo

En el otro mundo —que era el real—, del otro lado del mar, Antón, el rojo, había sido un niño movedizo y ávido de innovaciones, en un contexto que no le proporcionaba muchas. El tiempo de la aldea rechinaba y crujía como un carro a punto de desmantelarse en los senderos curvos de la montaña, y como el carro, no avanzaba gran cosa.

Durante su infancia y adolescencia, Antón, además de apedrear gallinas y amaestrar un carnero, había inventado una ducha y un precario pero eficaz sistema de riego, había construido un muro y un establo, y había merodeado por todos los lugares de Boiro y de las ciudades vecinas en donde se pudiesen conseguir diarios y libros. Había tenido así las primeras noticias y había visto las primeras fotografías de lo que iba a convertirse en una de las grandes pasiones de su vida: el automóvil, su preferido entre todas las máquinas que hacen más veloz y más grata la vida de los hombres.

No se imaginaba entonces que, años más tarde, iba a conducir, en calidad de asistente y hombre de confianza, el coche oficial del jefe del Ministerio de la Marina de la República, ni que, después de la guerra, él mismo iba a tener un coche propio, a gasógeno y carbón, comprado con las ganancias que dejaba la mina de wolfram de don Alfonso. Menos aún soñaba entonces que lo esperaba una vida de trabajo en Buenos Aires entre carrocerías y motores.

Por aquel entonces, los únicos conocimientos que se le impartían eran los de la escuela de primeras letras, a cargo del maestro que había sucedido a don Pepiño. Después de la ruptura de su compromiso con Felicidad, José Cabrales había decidido marcharse de un lugar tan incómodo, donde siempre sería objeto de los chismes de los vecinos. No ganaron nada los alumnos con el cambio. El nuevo maestro era un hombre violento y profundamente desconfiado de la naturaleza humana que creía en la eficacia de la sangre para inculcar las letras. Utilizaba la palmeta como método didáctico, y casi le había arrancado a una de las alumnas el pabellón de la oreja derecha a fuerza de tirones. Antón y Benito, que eran buenos en matemáticas, hacían a veces las tareas de otros compañeros para evitarles castigos semejantes.

El levantamiento de Franco sorprendió a Antón durante su servicio militar en Madrid, del lado de la República. Dentro del mal mayor, que era la guerra, se alegraba a veces por haber quedado al menos en el lugar correcto. No como Benito, forzosamente enrolado en el campo de los nacionales, que pensó cien veces en pasarse de bando y lo hubiera hecho, a no ser porque luego se tomaban represalias con las familias de los desertores. Largamente incomunicados, Benito y Antón, que eran, por la edad y el apego, casi mellizos, sabrían después que habían soñado sueños complementarios. Se despertaban ambos (acaso al mismo tiempo, a cientos de kilómetros de distancia) empapados en sudor, aunque afuera helase, porque acababan de matar a un hombre, que caía boca abajo, contra el suelo, y al dar vuelta el cadáver, cada uno había encontrado en la cara del muerto la cara del hermano.

Gracias a la guerra, Antón había conocido España, llevando a su jefe donde las circunstancias lo requiriesen. No recordaba haber tenido miedo por sí mismo. A los veintiún años, se sentía inmortal. No había cosa más ligera ni flexible que su vida, que se acomodaba a todo sin que nada la destruyera. Poco más tarde, se anotó en los cursos acelerados para piloto de combate y hubiera muerto seguramente a bordo de alguno de esos aviones parecidos a las libélulas si su jefe no le hubiese ordenado abandonar el intento.

Le gustaba Madrid, como le gustó Barcelona, y luego Valencia. Amaba los cafés y los teatros de las ciudades, las muchachas que usaban medias finas y zapatos de tacón alto. Una vez, en Madrid, tuvo una visión maravillosa. Había entrado a la tienda Samaral, vestido de uniforme, a cumplir el encargo de comprar una corbata y media docena de pañuelos. Del otro lado del mostrador estaba la mujer más bella de la tierra vestida de luto. Era muy joven, tenía los ojos de color ámbar, el pelo oscuro y la piel tan blanca que sobresaltaba mirarla. Lo atendió desvaídamente, casi sin verlo. Antón no se atrevió a hablarle, tanta era la tristeza que se desprendía de ella. No le pareció extraño. Medio Madrid ya era, por aquellos días, un cementerio, donde todos tenían alguien a quien llorar.

Al día siguiente tuvo que marchar a Valencia, y perdió el rastro de la joven. Doce años después, en Buenos Aires, se casaría con ella, y sabría que en los meses previos a aquel encuentro, al comenzar la guerra, doña Ana había perdido a su novio y a toda la familia de su novio, fusilados en una *razzia* roja por ser fascistas y chupacirios, como que estaban escondiendo a varios curas en el sótano.

El servicio militar y la guerra civil fueron para Antón la escuela que no había tenido. Las carreteras de España eran los señaladores dentro de un gran libro, que le indicaban catedrales y ayuntamientos, ríos y manantiales, palacios y bibliotecas. Los hospitales donde se hacinaban enfermos y heridos que pronto estarían muertos, le enseñaron los secretos de los cuerpos y las técnicas elementales de la curación; los barcos, los trenes, los coches, los aviones, le ofrecieron sus entrañas mecánicas, sensibles, complicadas y vulnerables como las entrañas de carne de los cuerpos humanos. Cuando volvió definitivamente a Galicia, al terminar la guerra, y luego de la prisión en Madrid, sabía usar antisépticos para curar las heridas y evitar infecciones, había aprendido el arte de reparar motores, y tenía un leve dejo catalán, o quizá valenciano, que los viajes le habían dejado como una marca en el habla, y que no perdería nunca.

Antón, el rojo, solía hablar de la guerra sin horror y sin resentimiento. Había sucedido y había modificado para siempre el mundo que conocía y lo había modificado a él mismo. Sin la guerra, no hubiese sido quién era. Y aunque ese acontecimiento era el responsable de todas sus pérdidas, aunque lo había llevado, ya pasados los treinta años, a iniciar otra vida, en otra tierra, también le había dejado una sabiduría feroz, cuyas letras le entraron en los huesos con sangre propia o ajena, acerca de lo que los seres humanos eran o no capaces de hacer en las peores circunstancias.

Volvió para ver morir a su padre, austero y sin violencia, como había sido en la vida. Antón —decían las comadres que tanto habían amargado la interminable espera de Rosa— la había sacado barata. Apenas un tiempo detenido en Madrid, cuando todos sabían que era rojo, como lo habían sido también sus dos hermanos fugados a Buenos Aires. Si Benito no hubiera movido cielo y tierra para conseguirle un certificado de buena conducta... Sin que nadie en la familia lo supiese y menos que menos Antón mismo, que murió sin enterarse, su hermano casi mellizo se había presentado en Ourense para rogarle al viejo tío cura que hiciera valer sus contactos con los mandos nacionales. Ya fuere por alguna debilidad sentimental o por el deseo de compensar pasadas culpas con una acción misercordiosa, el antiguo cura de Cespón logró que su sobrino volviese a la casa de Barbanza días antes de que el padre se despidiese de todos.

Desde entonces, el tiempo que siguió comenzó a parecerle a Antón un tiempo ajeno. O en todo caso, un tiempo provisorio, que pronto dejaría paso a otro esencial y definitivo, donde las cosas ocurriesen de verdad, donde no se viviese con el presentimiento del despertar como en las ilusiones que se saben tales, o en las atormentadas pesadillas.

Fue por aquellos años cuando un ingeniero ruso descubrió en las tierras de don Alfonso una mina de wolfram o tungsteno, que en la Segunda Guerra era cosa mucho más apreciable que una mina de oro, como que el wolfram se usaba para fabricar armamento. También la descubrieron los campesinos. Se echaron al monte para cavar en las mejores vetas, que surgían, irreprimibles, en cualquier parte, lejos de la casa de la finca y de la mirada del dueño. Los obreros y capataces que éste había puesto, hartos de doblar la espalda de sol a sol por un salario mísero, comenzaron a llevarse por cuenta propia buena parte de lo extraído, no sin repartir algo a los vigilantes. Todos quedaron satisfechos con el arreglo, hasta don Alfonso mismo que, como no había trabajado en su vida, ni tampoco antes había tenido minas, no se daba mucha idea de cuánto wolfram podía rendir un gallego por día.

Quizás el único de los hermanos que no cavó siquiera media zanja fue Antón, el rojo. Pero asociado con Benito, se dedicó a acopiar, a transportar y a revender, gracias a sus contactos de las ciudades. Un próspero mercado negro florecía en Vilagarcía de Arousa y en otras poblaciones de la costa. El pan de muchas familias dependía de ese contrabando por el que pagaban precios inverosímiles los nazis o los aliados. Los estraperlistas republicanos procuraban, de uno u otro modo, que el wolfram fuese destinado al armamento de los aliados, en los que se depositaba la esperanza de derrotar al fascismo, dentro y fuera de España. Benito tuvo ahorros, y Antón, el coche soñado: un Citroën 11, ligero, modelo 44. Los hermanos, también Suso, que había empezado a trabajar en el negocio del tungsteno después de volver del servicio militar, llegaron a vestirse con trajes de Feal, que pasaba por ser la mejor sastrería de Coruña. Con esos trajes, que le sentaban como si se los hubiesen cosido sobre el cuerpo, y con el coche nuevo, Antón, que además era un buen mozo, empezó a mirar a las señoritas de Noia, de Coruña, y hasta de Vigo. Ellas le devolvían el escrutinio, no sin complacencia.

Benito no dejaba de reprocharle tanta ostentación, pero su hermano no entraba en razones. "Lo que no sé es para qué ahorras tú. No va a estar ese aborto de la naturaleza gobernando por toda la eternidad. Cuando los países civilizados ganen la guerra, tendrá que renunciar, ya lo verás. Volverá la República, y ese dinero que guardas no valdrá nada."

Acaso por culpa de ese dispendio, que lo colocaba en un lugar donde su familia nunca había estado, tuvo Antón el segundo gran desengaño de su vida amorosa. Aunque el primero, si vamos al caso, no fue tanto amoroso, sino político. Su novia de entonces se llamaba Purita. Era, según contó el tío Benito, redondeada y suave, aunque no por eso boba ni fofa. En una época donde pocas mujeres estudiaban, había terminado la carrera de farmacia. Lo malo era su familia, que detestaba a Antón tanto por ser rojo como por venir de la aldea. La oposición de los familiares de Purita lo tenía completamente sin cuidado; es más, hasta constituía uno de los atractivos de ese amor que se basaba, de algún modo, en el desafío. Lo imperdonable ocurrió cuando Purita misma, a sus espaldas, se puso a militar en la Falange. Nada pudo contrarrestar su desencanto, que tomó las dimensiones de una traición íntima. Ni siquiera las cartas de Purita pidéndole disculpas, ni sus visitas a Benito, intermediario habitual de ése y otros amores de Antón, el hermano más audaz y un poco más favorecido por las apariencias, como si el menor fuera la copia más pequeña, levemente desvaída o deslucida del mayor, que le llevaba apenas unos meses.

El segundo desengaño fue con otra novia rica, pero de Vigo, y no estuvo mitigado por el arrepentimiento de la prometida. Interesados murmuradores acudieron a la futura suegra con un informe completo de los antecedentes de Antón en la guerra y de su conducta posterior, desde que había vuelto de Madrid. La versión lo presentaba como campesino de escasos recursos y rojo convencido (que sí lo era), y como ambicioso y mujeriego impenitente, que se había puesto a cortejar a una niña de buena familia, por espíritu de venganza y resentimiento. Pero Antón quería a Isabel quizá más aún de lo que había querido a Purita. Tanto, que la mansa entrega de la casi desposada a la prohibición materna (cuando ya se habían leído las amonestaciones de la boda), fue el desencadenante de una decisión a la que ya no renunciaría: partir a América. La idea maduró definitivamente después del 45, no bien se convenció de que los aliados habían dejado a España abandonada a su suerte.

Para algunos, los gustos de Antón, el rojo, sus novias burguesas y bien vestidas, su extraño pasado de alegre despilfarrador en el tiempo irreal de la posguerra, resultaron sospechosos o incoherentes. Yo misma lo pensé, cuando supe de estas andanzas, mientras tomaba mate mirando al valle desde la cocina inmaculada del tío Benito, jugando a entrecerrar los ojos para ver nuevamente a mi padre muerto (era tanto lo que los hermanos se parecían). Me costaba unir ambas imágenes: el joven desaprensivo y bien trajeado, que no se cansaba de festejar en el vértigo reciente de las carreteras o en los restaurantes de la costa, el feliz azar de haber burlado a la muerte, y el hombre maduro que conocí sólo los domingos, porque trabajaba sin descanso toda la semana, y que no vacilaba en privarse de cualquier cosa, hasta de lo más querido (a pesar de ser el dueño de un taller mecánico, tuvo un pequeño coche propio recién después de los cincuenta años), con tal de colocar un ladrillo más en la ampliación de la casa, o en el segundo piso del negocio. No existía, sin embargo, diferencia esencial entre los dos, salvo que en Buenos Aires no había wolfram y el dinero no se recogía por las calles, aunque, durante los años del primer peronismo, sí pudieran encontrarse, para horror de los hambrientos de la posguerra, restos de pan en la basura.

Antón, el rojo, no dejaba de ser socialista por apreciar la ropa de calidad, los buenos vinos, los automóviles eficaces y de bellos diseños, las casas de grandes espacios luminosos y nobles materiales. Su socialismo no se basaba en desear, por cierto, que todos los seres humanos fuesen igualmente pobres, sino, muy al contrario, que todos fuesen igualmente ricos. Quizá hubiera contestado a las críticas con el mismo argumento que empleó Evita Duarte, la descamisada vestida de reina, para responderle a una dama francesa perpleja ante los primorosos cubrecamas y las sábanas de buena tela de un orfanato argentino. "Estos chicos ya han tenido la desgracia de perder a sus padres. ¿Le parece que además hay que privarlos de las cosas bonitas, para que se acostumbren a ser siempre pobres y a estar tristes?" Algo parecido se podría decir a quienes creen que alcanza con dar de comer a los indigentes y que los libros son para ellos casi un adorno superfluo, como si no bastara ya con una sola forma de la miseria.

Mi padre consideraba la belleza y el bienestar no como lujos decadentes en los que sólo se complacen los ricos, sino como derechos de todos los hombres. Enfermó y murió cuando tendría que haber empezado a disfrutar, tranquilo, de la porción que ganó con su trabajo en ese lote de la fortuna, siempre tan mal repartido. El prudente Benito tuvo la razón al guardar el dinero. Antón, el rojo, esperó veintisiete años en las Américas a que el Caudillo dejara de regir España. Cuando pudo haber vuelto, para él ya era tarde.

Don Alfonso, el de la mina

Se presume que Don Alfonso vivió toda su larga vida del desmantelamiento de algunas herencias (entre las que se contaban nada menos que un Murillo, y unos Sorolla), y sobre todo, del tráfico de influencias que supo ejercer con el encanto de un David Niven español, metido en la campiña. Los inviernos los pasaba en Madrid, en un piso que nadie había visto, aunque se decía que don Alfonso habitaba apenas dos cuartos de la vivienda, y que el resto estaba destinado a depósito de muebles, cuadros, vajillas y diversas obras de arte.

En los veranos venía a la finca de la mina, que había comprado siendo mozo. Hizo construir allí una casa, de piedra granítica y buen porte, como las de los *pazos*. Tenía una gran chimenea en la sala, casi sin uso. Juana, la única ocupante de los inviernos (a la que luego se agregó una hija) se refugiaba en los meses fríos junto a la estufa de leña de la cocina.

Don Alfonso se había hecho adepto al naturismo y en las mañanas de junio, quien tenía catalejo, o pocos años como para trepar el muro de la finca, era premiado con un espectáculo nada notable pero sí desusado en tierras que aún no se habían llenado de turistas suecas. Desnudo como Domingos el inocente en su adolescencia, aunque no tan joven ni tan hermoso, el dueño de casa tomaba sus abluciones matinales junto a las aguas de vertiente que bajaban de los bosques de la montaña. Luego hacía enérgicos movimientos gimnásticos y se golpeaba el pecho, dando unos gritos que, según él, pertenecían a una canción de guerra zulú, y también poseían, de acuerdo con la forma en que se pronunciaban, virtudes afrodisíacas. Se decía que don Alfonso había aprendido esa especie de himno de tan variados usos en la Legión Extranjera. Se decía también que, siendo un niño, se había fugado por unos meses de la casa paterna, harto del colegio de curas y del protocolo aristocrático, y que el circo había sido su escuela en esa y otras artes absurdas.

Nunca se supo de cierto que don Alfonso hubiese cursado estudios universitarios. Lo que sí se sabía, porque bien se ocupaba en proclamarlo y enfatizarlo el interesado, era su parentesco indeciso (en Comoxo no había genealogistas) con la familia real en el exilio. En la España de charanga y pandereta valía mucho más, desde luego, un apellido, aunque fuese sin título nobiliario, que cualquier diploma conseguido por la inteligencia y el esfuerzo y no por el mero hecho de nacer. Don Alfonso sacó partido de sus inciertos pliegos y sus muchas conexiones de señorito sociable. No siempre sus tarjetas ni sus cartas de recomendación obtenían resultados, pero una aureola de prestigio lo acompañaba dondequiera fuese, como si llevara inscrito en la frente, con los colores de un códice miniado, el escudo de la familia.

Sus gestiones valían cenas, almuerzos, vinos de las mejores cosechas, chicharrones de cerdo, cajas de cigarros puros, botellas de coñac y de jerez. Valían viajes en coche y hospedajes de primera en las ciudades a donde lo llevasen los trámites. Valían, sobre todo, un séquito de estimación permanente que lo consagraba casi señor feudal en una comarca donde, al fin y al cabo, no era más que un castellano advenedizo. Don Alfonso, por su parte, amaba la aldea en la que había logrado ser un pequeño rey y vivir como tal con apenas centavos.

En aquel palacio o *pazo* de nueva invención faltaba, con todo, una reina. Nunca la habría. Una vez, en los primeros años, el dueño había llegado con una señorona de Madrid, vestida de seda y tocada con un casquito de fieltro. Era guapa, robusta, y le llevaba, por lo menos, media cabeza. No bien dijo dos palabras todo el mundo supo que se trataba de una extranjera. Alemana, quizá, por lo fuerte del acento y por lo rubia. Con ella llegó también un gramófono donde sonaba y sonaba, a cualquier hora del día, la canción ecuménica de Lilí Marlene.

La alemana, más grande y más gorda que la otra Marlene, la Dietrich, pronto se aburrió de don Alfonso y de los campesinos. La crisis de convivencia estalló el día en que quiso unirse a las prácticas naturistas. Una multitud más larga que una peregrinación de devotos se sumó entonces a los espectadores habituales, que no solían pasar de dos o tres chicos aburridos. Don Alfonso pretendió primero convencer a la alemana con buenas maneras para que volviese a la casa, o se echase, al menos, alguna prenda encima. Ante el fracaso, recurrió a los empujones y a los tirones de pelo. El resultado fue, para él, ignominioso. La walkiria le atizó un *cross* a la mandíbula y el hidalgo cayó semidesvanecido mientras los hermosos pechos redondos oscilaban frente a un público deslumbrado como lunas gemelas nacidas por milagro en pleno día.

Ni la alemana regresó a la finca, ni don Alfonso reincidió en el intento de dar señora a su castillo. Le dio, sí, una sirvienta permanente: Juana, que mantenía vivas tanto la finca como la casa de la mina. Sin ella, no hubiera habido huerta, ni frutales, ni pan en el horno, ni tazas de leche recién ordeñada, ni jamones colgados del techo de la despensa. Don Alfonso se limitaba a disfrutar, como un turista en vacaciones o un magnate, de todos esos beneficios. Su relativa amistad con la familia de mi padre surgió precisamente, de la soledad del ama de llaves, que iba a buscar la compañía de voces humanas, primero a la casa de los abuelos de Comoxo, y luego a la del tío Suso.

En algún momento, difícil de precisar, la sirvienta perpetua se convirtió también en amante de verano, consolidada y estable. Era casi tan grande de tamaño como la germana, pero mansa, resignada o acostumbrada al desamparo y al servicio, a trabajar mucho y a figurar muy poco. El día en que tuvo una niña no pareció sino que la había recogido del huerto, sencillamente, como si se tratase de una fruta madura. Don Alfonso no frecuentó más la finca por el hecho de haber engendrado una hija, a la que trataba, por momentos, como a hija propia, y generalmente, como a la hija de su criada. La niña, Isabela, creció rebelde, tanto como la madre era sumisa. Supo muy pronto que la mejor forma de fastidiar al caballero era avergonzar su orgullo, y se dedicó a ello con empeño, sin reparar en que avergonzaba sobre todo a su madre, que se veía obligada continuamente a justificarla y justificarse. No se fugó con un circo, como contaban que había hecho su padre, pero dio qué hablar, desde los trece años, con novios tan visibles como extravagantes, y no se casó con ninguno. Prefería, tratándose de hombres, el rubro de los deportes, desde el boxeo al fútbol. El más notorio de sus enamorados fue un americano basquetbolista de cierta fama, negro y tan reluciente que parecía lustrado. Todos los varones del pueblo eran enanos comparados con él, y más aún don Alfonso, que no se había lucido jamás por su estatura. Estuvo sólo unas vacaciones en Galicia, pero dejó como marca de su paso otra niña alta y bonita, color de bronce, con tímidos y encantadores movimientos de gacela, que prefirió marcharse a estudiar a la ciudad en cuanto se dio cuenta de que había llegado a la vida como resultado de una guerra personal entre su abuelo y su madre.

Juana quedó nuevamente sola. Don Alfonso no era compañía y menos lo era Isabela, que sólo llegaba de tarde en tarde a la finca de la mina, porque trabajaba como fotógrafa para revistas de viajes. A esa altura, ya había dejado de pelear con su padre. Algunas tardes, los dos se sentaban a jugar a las cartas como viejos tahúres semi retirados, y hablaban de las ciudades del mundo que ambos habían visto y que Juana no conocería nunca, y de los males que aquejaban a todos los humanos, a pesar de las diferencias de geografías y de costumbres.

Don Alfonso no se casó con Juana, su sirvienta, a la que no debía más que bienes y servicios. En cambio, finalmente, reconoció a su hija, que no le había dado más que disgustos, criticaba la voz del pueblo. Juana murió un verano; la encontraron en la bodega, donde había ido a buscar una jarra de vino. No murió por el mal golpe, sino, a lo que parecía, de un ataque cerebral. Nadie se despidió de ella, pues había ido a hacer el trabajo de siempre. Isabela, que estaba de viaje, vino en cuanto tuvo noticia. Se llevó, nadie supo a dónde, todas las cosas de su madre y don Alfonso, por primera vez en muchos años, quedó en su reino como si estuviera desterrado, sin nadie que lo atendiera.

Yo lo conocí por ese entonces en Barbanza, mediada la década del '90. Estaba muy viejo (era unos cuantos años mayor que mi padre), pero muy despierto, y recordaba perfectamente a Antón, el rojo, con quien compartía, no las ideas políticas, pero sí la afición al naturismo. Papá, que había sido instructor de gimnasia en la Marina y leía al doctor Vander, era el único vanguardista que se prestaba a acompañarlo en las sesiones de ejercicios junto a las corrientes aguas puras que bajaban del Barbanza. Antón había intentado hacer lo mismo en la finca de Comoxo, pero tuvo que desistir para no disgustar a Rosa, mi abuela, convencida de que el hijo había heredado la locura de Domingos, el inocente.

La finca pronto se volvió una ruina. Don Alfonso contrató una mujer por horas, que limpiaba y planchaba medianamente. Todavía, si lo acompañaba el buen tiempo, se iba algunas mañanas a hacer gimnasia junto a la vertiente. La nieta viajó algunas veces para verlo; la hija, nunca. Se vendieron las vacas, salvo una, y se fueron muriendo por pestes y descuido los animales de corral. Don Alfonso, que resistía a todo, aún disfrutaba de alguna que otra invitación lujosa.

Los años lo fueron gastando y achicando, como una roca erosionada, pero no lo pulieron. Tenía arrugas profundas y amarillas, como las incisiones de un carozo de durazno, y también era imposible de morder. Dicen que pasó sus últimos años como un señorito y un esclavo. El primo Paco se lo cruzó una mañana en Vigo. Iba de traje, corbata y chaleco, entre dos guardaespaldas, y parecía un muñeco de torta de bodas, reducido a menos de metro y medio y casi llevado en vilo por los matones vestidos de oscuro, que lo subieron a un Mercedes nuevo. Se murmuraba que el antiguo contrabandista de wolfram, a sus noventa cumplidos, se había metido en el narcotráfico, como testaferro de un *capo di mafia* de la conexión gallega.

El tío Benito me llevó un día a la finca de la mina, ya del todo deshabitada (don Alfonso vivía permanentemente, preso o custodiado, entre Madrid y Coruña). Los cuartos exudaban una humedad espesa, donde florecía un encaje de hongos y telarañas. El tío abrió las ventanas y los armarios, todavía llenos de toallas y ropa blanca, horrorizado ante la desidia. Salimos luego al huerto, invadido por una anarquía de flores y malas hierbas y nos acercamos a la vertiente.

—Aquí venía a bañarse tu padre, cuando todos éramos mozos —dijo, con la voz velada.

Pero el agua seguía viva. Caía, purísima, desde los picos del Barbanza, inmutable como el Tíber de Quevedo, sobreviviente a los hombres que se habían hecho fantasmas, a la casa inútil y vacía como una cáscara, celebrando la eterna victoria de lo fugitivo.

El corredor

Durante años, hasta hoy, hubo un corredor, un pasillo prodigioso, entre los montes de Barbanza y la vasta llanura que concluye, sin una ondulación, en el río inmóvil. Mi padre lo cruzó muchas veces, en su larga enfermedad final. Con los ojos cerrados del sueño, o los ojos de la vigilia, abiertos pero inmunes a las dolorosas trivialidades del presente, amanecía junto al río Coroño una madrugada de verano. Casi rodando, empujado por la felicidad, bajaba por los caminos de las fincas hasta la garganta de agua en el fondo del valle, y sumergía las piernas, ya mojadas por el *orballo,* en los primeros escalones del río. Allí volvía a ser el que fue y que ya no era. Recuperaba su verdadero ser, intocado por el desengaño, la guerra, el trabajo, la enfermedad y la muerte (ficciones poco creíbles, peripecias de libro o de película que siempre les ocurren a los otros). Allí era inmortal, y tenía diez años o ninguno o tenía la edad de la montaña y de las huellas vivas, sensibles como cicatrices aún frescas, grabadas por los carros que llevan el *toxo* durante su paso de siglos sobre la piedra.

Tiempo después de su muerte, encontré el corredor. Ignoro si lo heredé o si se abrió solo, único camino de retorno para mí, donde no había transitado nadie, ni siquiera él. Mi corredor no pasa por el Océano, quizá porque nunca he viajado sobre su móvil lomo de ballena bondadosa y malvada, que une y separa, que abre y cierra, y que no es posible capturar, porque la Ballena-Océano incluye a su perseguidor. Únicamente lo he visto desde la costa, o desde el aire, en los movimientos complementarios de llegar y de partir, desde el Cabo-De-Ninguna-Parte, flotando en la boya de las alturas, donde, como en la pampa, todas las direcciones son iguales, y en cualquier momento el viajero puede despeñarse hacia la deriva de las galaxias.

Este corredor empieza directamente sobre la carretera, entre hileras de pinos y de eucaliptos, en el camino que conduce a la casa del tío Benito. La casa pronto aparece sobre un recodo, casi inverosímil, bordó y rosada como un cuento de Hansel y Gretel. Adentro, en la cocina, un brujo espera para engordarme, pero no con dulces y pasteles, sino con pulpos y centollas, sardinas y nécoras, gambas y cordero lechal macerado en coñac durante doce horas, lacón con grelos, nabizas, empanada de mejillones y tarta de Santiago. Me volveré pesada, con la carne gelatinosa y densa como otra criatura de mar, me volveré quieta y sucia y apacible como un animal de granja, atado por el ronzal, las costumbres, el olor de las maderas y de los pastos, al círculo encantado donde pasa su vida y se escurren las noches, envueltas en una baba de estrellas, por las rendijas del techo del establo.

Ya no podré salir. Me entregaré con mansedumbre a una memoria tan antigua como los plegamientos de la tierra que hicieron esas montañas, creceré en cualquier ladera como esas semillas de pino traídas por el viento que florecen incluso en los techos de la ciudad. El viento de la Historia me ha llevado y me ha devuelto. Sopla, aún, en los campanarios de las iglesias a las que sólo van los viejos, para que las campanas repiquen y llamen a los vivos y a los muertos. Construye carreteras, escuelas, clubes, balnearios, teatros, museos, cuadros, esculturas, tapices, cerámicas de Sargadelos, libros con letras autónomas como imágenes y paisajes que pueden tocarse con los cinco sentidos.

También destruye. Sopla por dentro de los huesos humanos, cava un encaje delicado en los laberintos de la médula. Por las noches de invierno, cuando tiemblan las tejas y las copas de los pinos, tiemblan los huesos también, y empiezan a sonar, la voz del viento los usa como si fuesen flautas para que canten la mejor canción antes del olvido.

Desde que volví al lugar en donde nunca había estado, obediente al reclamo de un castaño mal plantado sobre la pampa, el viento ha seguido soplando y destruyendo. Se ha llevado cuatro muertos, ha encorvado y moldeado como quien teje una cesta, las espaldas de los vivos. En quince años, que pasaron como quince días, la cocina del tío Benito ha dejado de ser una fábrica de hechizos. Hoy se acumulan en la heladera yogures y cajas de leche; en las alacenas, papillas y cereales. El coche ya no está en el garage, porque el médico le ha obligado a venderlo. En los armarios, cuelga la ropa de calle, impecable e inútil. Los pies han perdido la costumbre de los zapatos, se han vuelto rígidos, con espolones de gallo viejo, y sólo aceptan la blandura de las zapatillas. Algún día, cuando retorne una vez más, encontraré la casa vacía, las mantas dobladas, la televisión coreando para nadie las preguntas y respuestas de los concursos. El andador y la silla para el baño estarán en un rincón, esterilizados y envueltos en *nylon*, preparados, quizá, para otro enfermo anciano.

La casa se pondrá en venta o alquiler. La humedad, que ya ha tomado los bajos hasta descascarar las paredes y arrancar a tiras el enchapado de las puertas, comenzará a subir al primer piso, deshabitado y abandonado por la calefacción. El reloj de pared —la última compra del tío Benito— seguirá cantando las horas hasta que se decida quién de los sobrinos o las sobrinas se lo lleva a otra sala, donde el cucú volverá a salir, espasmódico, cada vez que se claven en el mismo sitio las agujas obsesivas.

Ni la casa ni el tío Benito cumplieron su destino.

—Tuve una novia muchos años, en Arousa, *ti sabes*. Pero no la podía traer aquí a enterrarse en la aldea, con tu abuela y con las dos tías viejas. Se cansó de esperarme y se casó con otro. Mírame cómo estoy ahora, lleno de achaques y sin un hijo que se haga cargo de mis huesos.

Los huesos duelen, crujen, desgoznados y casi aéreos, hechos de espuma y agujeros. Casi no sirven para caminar, pero el tío Benito, encerrado dentro de su piel de niño, que sigue siendo rosada y brilla de tan limpia, no puede, sin embargo, optar por el vuelo. Sumiso a la ley de gravedad, a los límites del cuerpo, mira resbalar por las ventanas la lluvia eterna.

La casa cruje junto con los huesos, vengativa, incongruente. Estaba soñada para otros fines. Tiene tres pisos: uno en los bajos, que sería un sótano si no se hubiese construido aprovechando el desnivel del terreno. La luz le entra a baldazos, cristalina, como agua recién sacada del pozo para regar un huerto. Las manzanas doradas crecen en ese huerto, dan su perfume maduro apiladas en bolsas, al lado de la leña, bajo la pileta de lavar. Pero no son ésas las manzanas que guarda Idunn, las que conceden a los dioses la juventud perenne. En esta visita los manzanos no han dado frutos. El tío Benito se queja de que ya no se consigue nadie para podar los árboles.

En los bajos hay tres dormitorios vacíos, y un baño que nadie usa. Hay un lavarropas, una cocina con todas las alacenas y algunos platos y cubiertos: los utensilios de un convite que nadie da. En el primer piso vive el tío Benito. Va, con trabajo, auxiliado por asistentas, del dormitorio a la sala, al baño y a la cocina. En otra habitación que mira a la carretera, de tanto en tanto, duerme algún huésped. En el segundo piso, un baño aún sin terminar y tres dormitorios completamente puestos, esperan para siempre a los viajeros de América.

Para eso fueron, desde el momento de su diseño, los bajos y el piso alto. Ya se han cansado de tanta expectativa. Dentro de los roperos se ha vuelto amarilla la ropa blanca y las mantas tosen, asmáticas, ahogadas de naftalina. De noche los cuartos gruñen, insomnes. Despiden un tufo malhumorado y agrio de esperanzas vencidas y recuerdos que se pudren. Las maderas se hinchan, como articulaciones artríticas, hasta que el segundo piso, destinado a ser hogar y atalaya para los indianos que volverían al valle, se ciega y se cierra sobre sí mismo como un párpado morado por los golpes.

Ninguno viene, como no sea de visita, más que por unos días o unos meses. El tío acompaña los lamentos de la madera.

—A ver, ¿quieres decirme para qué necesitaba yo tanta casa sino para los hermanos que llegarían de Buenos Aires? Nadie volvió, a todos se les pasó la vida allá y no porque hayan sido más felices. ¿Por qué no volvéis ahora vosotros?

Quién le dice al tío Benito que no podemos volver porque de aquí no partimos. Quién le dice que pagamos y pagaremos, sin embargo, la deuda de quienes nos precedieron.

—Nunca podré volver del todo —susurro— pero tengo el corredor.

—¿Qué corredor, qué dices? —insiste, acercando el oído, creyendo que se engaña.

—Es como un pasillo —balbuceo— para ir y venir, donde se está y no se está.

—Mala cosa, los pasillos. No hay más que corrientes de aire, y frío, y gentes que tropiezan contigo mientras van y vienen. Dónde vas a poner allí una buena cama para dormir cuando te canses.

—En ningún lugar —susurro—. No hay descanso.

Es él, entonces, quien inclina la cabeza y cae dormido. Dentro de poco ya no podré preguntarle nada sobre los años en que él y mi padre compartieron la juventud. Ni siquiera recordará los horrores, como aquel caso del maestro de escuela al que castraron vivo, durante la represión franquista, o como los alcaldes perjuros, que dejaron defendiendo el camino a sus paisanos engañados, mientras ellos se escapaban por la tangente.

Me voy.

Volveré yéndome. Me partiré volviéndome. Como Jano, el dios de dos caras, el de las puertas y las llaves, el de los comienzos y los finales, el que tiembla entre el presente y el porvenir.

Finisterre

Antes de irme de Galicia, antes de ingresar al corredor en cuyo fondo se divisa la Pampa, debo hacer el camino que lleva al cabo del Fin de la Tierra. Lo he hecho siempre, en cada retorno, con un sol piadoso que modera el viento, o bajo el agua que punza con presentimientos de hielo. Ese nombre *—Fisterra, Finis Terra, Finisterre—* es para mí un mantra o un conjuro que exorciza los miedos, quizá porque el pánico más absoluto que puedan conocer los hombres signó su descubrimiento.

Allí, en el extremo de todos los mundos, en la proa de roca, deben de haber colgado, como racimos, los legionarios de Decio Junio Bruto, el procónsul romano, cuando el suelo se les acabó abruptamente bajo los pies atónitos. Estarían ciegos, porque nadie puede ver lo totalmente otro, lo desconocido, aunque lo tenga delante de los ojos. Estarían sordos, porque los golpes de las olas sobre las piedras y las armas y los petos y los cascos y los escudos, formarían un coro incomprensible del que ninguna música podría ser rescatada. Quedarían olfateando y acezando, animales despavoridos en el borde del Mar de las Tinieblas, con el olor del yodo y el sello salobre del agua pulverizada sobre los labios.

Los soldados de Bruto venían desde el Sur, avanzando despacio contra los duros celtas. Al temor que por sí misma podía inspirarles la gente belicosa del territorio que llamaron *Gallaecia*, se añadiría un terror mucho más grave, pues no provenía de humanos sino de la tramposa voluntad de los dioses. Muchos creyeron que la pequeña Galia, en el confín de todo lo antes conocido y explorado, no era sino la Tierra de los Muertos y que el río Limia era el Leteo, el Río del Olvido. Ése que separa las tierras pisadas por los hombres de las que sólo pisan los fantasmas. Ése que absuelve, desenmascara y purifica, ése que lava y anonada y desengaña, ése que deja los cráneos limpios como sagrados griales, para que algún hamlet acaricie la calavera y diga que sólo en las sábanas del sueño perpetuo se curan las heridas de la ultrajante fortuna.

Algunos habrán sentido alivio al cruzar el Limia. Quedarían —pensaban— como inmortales o recién nacidos. Recibirían en las manos un alma para estrenar, como quien recibe a un niño de las entrañas de su madre, cubierto de grasa y sangre fresca aun no gastadas por el aire de la tierra, y la limpiarían en las aguas de un bautismo sin cristo para darle un nuevo nombre de criatura del río. Los hijos del Olvido. Eso querían ser muchos, borrar del cuerpo usado las marcas de las cicatrices de pelea, los linajes de familia que debían ser obedecidos, o los orígenes humildes que habría que transfigurar trabajosamente en mito con las hazañas propias de los héroes. Los futuros hijos del Olvido dejaban en las orillas, como una armadura inútil, sus ambiciones de gloria, de oro y de tierras, se entregaban inermes y desnudos a un Tiempo que sólo tendría futuro, a cambio de ser peces en el agua traslúcida.

Su mayor dolor, sólo comparable al consuelo de quienes se obstinaban en aferrarse a la memoria, habrá sido comprobar que nada habían olvidado, y que al salir del caudal largo y azul, seguían siendo los que en él entraron, aunque con una esperanza menos, definitivamente condenados a tener un pasado y a cargarlo hasta la muerte sobre los huesos viejos.

¿Sentirían lo mismo todos aquellos que, siglos después, saldrían de Finisterre para cruzar, no ya el río Limia, sino el abismo de la Mar Océana? ¿Querrían dejar atrás su pasado y sus señas de identidad, desvestirse de su lengua y de sus recuerdos para jugar a ser otros en el revés del mundo?

Hay ejércitos que se siguen dando cita en el Fin de la Tierra, año tras año, aunque ya no son legionarios romanos sino las ánimas en pena de la gente perdida de *Gallaecia*, que busca su lugar en el País de los Muertos. Llegan con una luz en la mano, para identificarse unos a otros en las encrucijadas del mundo ajeno. Así, munidos de candiles o linternas, de antorchas o soles de noche, mínimos puntos de rayos láser o carteles de neón, se acercan al Finisterre desde todos los tiempos y todos los espacios. Vienen del centro de los bosques gallegos, dejando por el camino su mortaja de niebla; vienen de Cuba, en barcos perfumados de tabaco y de caña dulce, tocando el son; vienen de Buenos Aires, con acento canyengue, cantando sobre la cubierta de transatlánticos fastuosos y anacrónicos *El día que me quieras,* o *Mi noche triste.*

Cuando alcanzan la tierra, cuando abandonan la proa de sus buques ingrávidos para encallar sobre el peñón oceánico, bajan primero las mujeres. Saltan, entonces, sin dudarlo, desde la proa de roca. Van recobrando en el salto su remota memoria de sirenas, mientras pierden los vestidos de ciudad que han llevado en otras naciones, los zapatos de caminar por calles lisas. Pierden, también, todas las prendas escondidas debajo de aquellas galas nuevas. Las amplias faldas, abiertas en el aire como corolas de luto, los delantales bordados, los refajos, los pañolitos y los sombreros de *toxo*, los zuecos de campesina, las medias de lana, hasta la piel de los dedos bajo las medias, desprendida por el filo de navaja del agua helada.

Así, desnudas, luminosas como mañanas verdes, rozan el fondo ciego del Abismo y se enciende para ellas la antorcha de la ceguera y les muestra la grieta que comunica los mundos y se les abren las puertas cerradas del Paraíso.

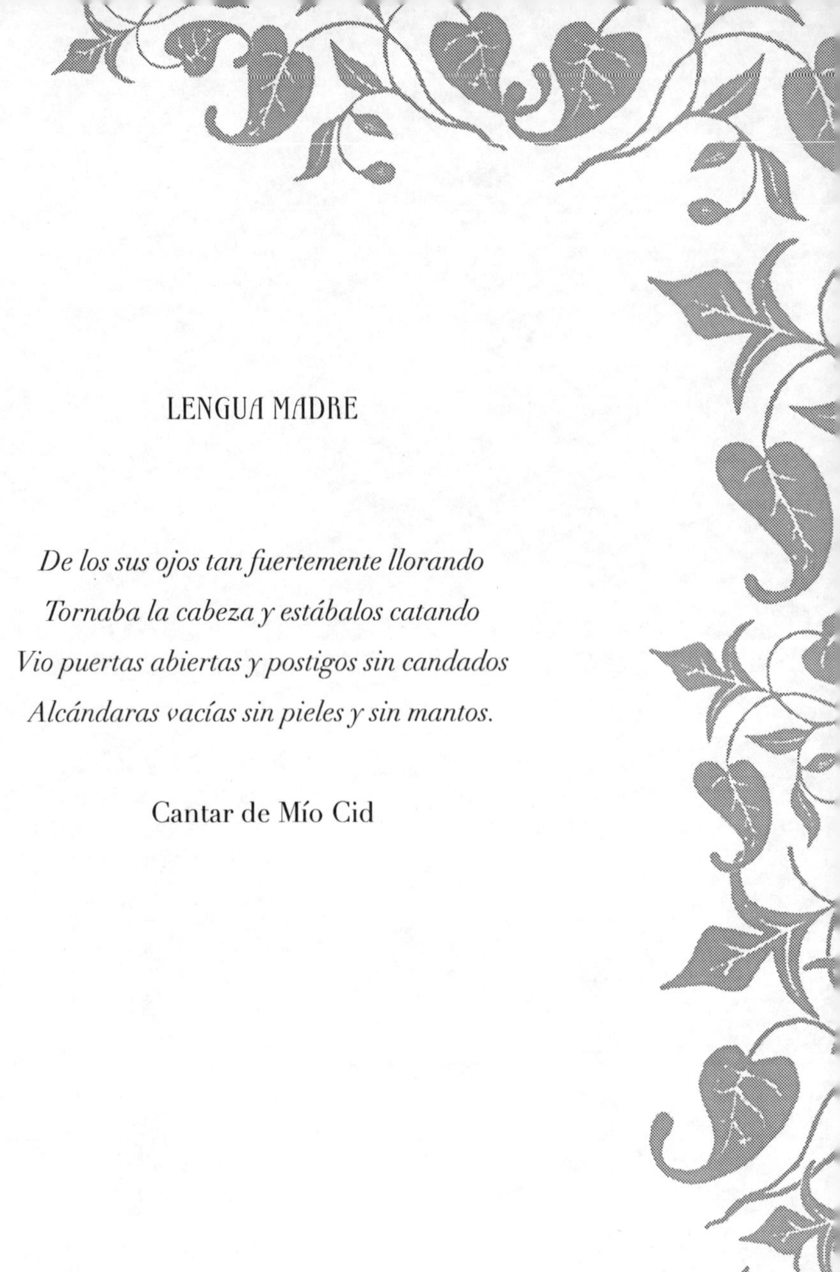

LENGUA MADRE

De los sus ojos tan fuertemente llorando
Tornaba la cabeza y estábalos catando
Vio puertas abiertas y postigos sin candados
Alcándaras vacías sin pieles y sin mantos.

Cantar de Mío Cid

Herencias

Las herencias que recibí de mi madre, doña Ana, fueron pocas aunque significativas.

Doña Ana nunca había tenido tierra como para dejarme la memoria de ella, ni un paisaje que amase recordar. Había vivido siempre en pisos de alquiler, unos mejores que otros, en las calles viejas del Madrid de Galdós. Uno de ellos, el último, que llegó a mostrarme desde fuera el primo Alfredo, era, al parecer, regularmente espacioso y tenía ventanas a la calle. En ese piso, por los años de la guerra, se había metido con sus seis hijos el zapatero comunista, que era vecino, porque un obús lo había dejado sin vivienda propia. Allí vivió con los niños, en férrea disciplina, paz forzosa y armonía relativa, hasta que, inmediatamente antes de la entrada de Franco, un camarada decidió pegarle tres tiros cuando estaba por inmolarse (e inmolar a sus renuentes compañeros) haciendo volar con una bomba uno de los subterráneos de Madrid.

Mi madre no hablaba a menudo de esos pisos ajenos, sofocantes en verano y helados en invierno, donde siempre faltaban cosas. Faltaba, sobre todo, dinero: el oxígeno que en el mundo de la ciudad da vida a la planta humana, tanto más exigente y difícil de satisfacer que el más exótico de los seres vegetales.

Lo que doña Ana no tenía fue siempre más importante que sus bienes reales y concretos. Era innombrable e inabarcable, y ocupó durante años las habitaciones vastas y huecas de sus sueños, que se agrandaban en vano como codiciosas salas de recibo preparándose para el advenimiento de todo lo que iba a hacerla una mujer feliz.

Doña Ana no tenía ropas adecuadas a su apellido ni a la magnitud de su belleza, parangonable con la de las estrellas en el cine de Hollywood. Sus mejores atuendos solían ser prendas levemente usadas por la hija del dueño de la casa de ropa donde trabajó en su juventud, que por fortuna era caprichosa y se hartaba pronto de todo lo que se ponía. Doña Ana no tenía educación, aunque eso no debiera haber sido para ella un problema, porque ineducadas eran casi todas las españolas de su tiempo, pero —bella y todo— contaba con una salvaje inteligencia capaz de aquilatar el desorden de sus lecturas y su ignorancia frondosa. Doña Ana no tenía madre que la comprendiera, porque doña Julia le quitaba las novelas y la obligaba a hacer las camas y barrer los pisos, a la espera de que algún novio bienintencionado y de caudales sólidos despejase las locas fantasías que la dejaban afantasmada y lela, como si dialogase con criaturas invisibles.

Doña Ana no tuvo ni tendría marido rico, ni casa de vacaciones en la playa, ni palco en el teatro, ni frecuentaría los salones de la alta sociedad. Doña Ana no tendría jamás un hombre sabio ni poderoso que la protegiera, porque todos los hombres supuestamente sabios y poderosos que había conocido después de perder a su primer novio (que no era ni lo uno ni lo otro) habían preferido casarse con otras mujeres de belleza menos peligrosa y más tranquilizador y seguro dinero.

Doña Ana no podía lanzarse por la pendiente de su peligrosa belleza para sacarle partido, como Rita Hayworth o, peor aún, como una *demimondaine* cualquiera. Había nacido en una familia decente y arruinada de la antigua España, y vivía en ella como viven en su caja mohosa unos zapatos de baile que alguien deja arrumbados en un altillo: ignorados por las bailarinas que podrían usarlos hasta que saltaran chispas; cubiertos de polvo, habitados por una o dos cucarachas subrepticias que han decidido poner casa en su gamuza hospitalaria.

Doña Ana no tenía.

Doña Ana NO.

El "no" había sitiado, voluminoso, todo su ser, vacío y carente. La ocupaba por dentro, pujante y en ascenso, como el aire impulsado por el fuego infla un aeróstato y lo lleva hacia regiones desconocidas. Pero Ana, la bella, seguía dentro de la caja de zapatos del altillo, mientras el aire ardiente de la carencia inflaba desesperadamente su ser vacío. Algún día —cincuenta años más tarde— cuando hubiese conquistado algunos bienes (nunca los suficientes) en otra tierra, se produciría la explosión.

Mi madre trajo y dejó, de su vida anterior, ciertas herencias.

Algunas estaban destinadas a desaparecer muy pronto, porque fueron legadas también en forma prematura. Así sucedió con una muñeca de porcelana que tuvo a bien entregarme antes de que yo cumpliera los cuatro años. Murió en una caída vertical que la llevó de la cama al piso, donde estallaron las mejillas pintadas de rosa, y un ojo azul saltó de su órbita, ya desabrido y común como un botón cualquiera.

Desaparecieron también un peinetón y una peineta de carey, y dos mantillas negras, deshilachadas a trechos y no demasiado finas, que usé alguna vez para vestirme de dama colonial en los actos patrios del 25 de Mayo, donde se conmemoraba, paradójicamente, nuestra liberación del yugo español.

Se rompieron o se perdieron dos viejos abanicos, uno negro y otro casi blanco, con una puntilla sobre el borde y varillas marfilinas, a los que mi abuela doña Julia confiaba su garganta, amenazada por la agresión de los ventiladores.

Una pulsera de gruesos eslabones de oro y un anillo con un rubí terminaron en las manos del mercado de cocaína, entregados a mi hermano o sustraídos por él, cuando la caja de zapatos había explotado ya junto con todo su contenido y con la pequeña familia propia que doña Ana había compuesto a su alrededor, como un rompecabezas mal ensamblado.

Se desintegraron, también, un par de pendientes de marquesitas y plata vieja, con los que mi madre se fotografió en un retrato, donde un vestido negro sujeto con dos broches le dejaba un hombro indefenso y blanco al descubierto.

Eso fue lo más importante, pero hubo también otros objetos que bajaron del barco y se estrellaron contra el suelo implacable de la pampa, o se difuminaron en el impreciso olvido. Hubo una frutera de cristal labrado, y un juego de aceite y vinagre, rotos o robados durante la última etapa de la explosión de doña Ana y los primeros tiempos de la lenta demolición que convertiría el cerebro de su hijo en una cueva blanca, roída por las termitas.

Hubo unas cucharitas y tenedores de postre, dorados y con mango de nácar. Hubo dos manteles blancos, bordados en punto cruz, uno con rosas y otro con flores adamascadas. Hubo una colcha de terciopelo rojo y unos guantes, también de terciopelo, que permanecieron mucho tiempo en un cajón, abiertos, como si la mano los hubiera dejado en el gesto de asir algo perdido e irrecuperable.

Hubo cosas que no llegaron en ese barco, pero llegaron en otros, o más tarde, en aviones, o paquetes de correo. Cruzaban el corredor que mi madre y sus parientes y sus amigas y amigos mantuvieron abierto durante décadas, hasta que unos fueron muriendo y otros envejecieron y olvidaron, y las entradas antes anchas, a uno y otro lado del Océano, comenzaron a quedar tapadas por cartas que nadie leía, o que se leían pero no se contestaban, o por fotos de familiares irreconocibles cuyos nombres se habían borrado. Los hijos y los nietos fueron cerrando el largo canal por el que se desliza, de cuando en cuando, una sola voz tenue: la del primo Alfredo. Ha cumplido los noventa años y ya no escribe, porque casi no ve, y tampoco pinta sus acuarelas impresionistas de paisajes o de mujeres pálidas, que con la cabellera arrojan sobre la espalda una sombra rojiza.

Otras cosas han quedado, en cambio:

Dos sutiles cañamazos, bordados con letras mayúsculas y minúsculas de distintos estilos y formatos, con números del uno al diez y una inscripción que dice "Año de 1906" (la eñe se tuerce, anómala, exacerbando su terca condición de resistente).

Dos pañuelos, uno de encaje, y otro de seda, con puntillas de filigrana, que ostenta las iniciales cruzadas de mi tío Adolfo, niño de primera comunión cuando lo usó.

Una pechera con cuello para vestido de mujer, abrochada con botoncitos minúsculos, inverosímil.

Un chal de seda, largo, con flecos, de la época del charleston, parecido al que debió de llevar Isadora Duncan cuando los flecos se le enredaron en las ruedas del automóvil, y el chal le apretó el cuello como una soga de ahorcado hasta matarla.

Un relicario muy hermoso, en cuya tapa hay un camafeo. Su interior guarda dos fotos enfrentadas: la de mi madre y la de Francisco, su padre, mi abuelo andaluz.

Un libro de comunión, con la cubierta desencajada donde brilla, bajo una laca todavía resistente, la imagen de Nuestra Señora del Perpetuo Socorro. Una lámina de la misma Virgen, que sostiene en brazos a un niño bizantino y enjuto, con cara de hombre. Sólo a ella le rezaba doña Julia, desconfiada de los oídos de Dios.

Un bolsillito de plata, hecho de minúsculos eslabones encadenados, que siempre se pone negro y es tan difícil de limpiar, pero reluce a veces, sin embargo, encima del piano, al lado de dos frascos vacíos, con tapa también de plata, que encerraron cremas o perfumes y que formaron parte de un *nécessaire*.

Varios duros, del siglo XIX: uno lleva la efigie de Alfonso XII y otros la de su hijo, el niño Alfonso XIII, precozmente rey. Los guardo en una caja colombiana, donde conviven con un insolente llavero que era de mi padre, y que celebra la fundación del Partido Socialista Obrero Español.

Un *dónde vas, Alfonso Doce, dónde vas, triste de ti. Voy en busca de Mercedes, que esta tarde no la vi.*

Pero eso no está en ninguna parte. Sigue sonando en la voz quebradiza de mi abuela, que me lo cantaba por las noches, para recordar el tiempo de su propia infancia en el que esas historias remotas eran tan cercanas como los chismes de las revistas del corazón.

Han quedado libros.

Doña Ana, sin otra escuela de lecturas que la poca y mala de un colegio de monjas, había adiestrado por sí misma su inteligencia salvaje y se había puesto a buscar el sentido de su ser carente, invadido por el vacío, entre las tapas de cartón duro adornadas a menudo de cromos y tafiletes que las asemejaban a un cofre de tesoro, o a un joyero.

Quedaron una edición del *Quijote* y otra de las *Novelas Ejemplares*, ambas de lujo y con ilustraciones de museo. Otra, en dos tomos, de Oscar Wilde, donde la voz del hombre más ingenioso convivía con la del más trágico y el más sensible. Quedaron libros abominables (las Riveritas y Maximinas de Palacio Valdés) y otros abominablemente traducidos, pero maravillosos aún, aunque Raskolnikov y los Karamazov hablaran por momentos como chulos madrileños. Quedaron los poemarios musicales de Rabindranath Tagore, aquel a cuyos pies hubiese querido echarse como un perro Victoria Ocampo, sólo para cuidar sus sueños, si la obediencia a las buenas costumbres y el temor a las malas lenguas no se lo hubiesen impedido.

Escucho con mis ojos a esos muertos, que no sólo me hablan de sí mismos, sino, sobre todo, de la lectora que recorrió las mismas páginas. Quizá (seguramente) no compartimos idénticos hallazgos, no los leímos de similar manera. Pero los libros son la única casa de citas donde acaso podremos encontrarnos. Donde la una, todavía viva, va buscando infatigable por pasillos y salas internas y habitaciones cerradas, las huellas de la otra, para continuar el diálogo brutalmente quebrado. O tal vez es ella la que me sigue, cuarto tras cuarto, sin atreverse a detenerme y a tocarme el hombro, para rogarme que no la olvide, pero que sí perdone.

Doña Julia, su madre y doña Margarita

El último recuerdo que tengo de mi abuela, doña Julia, son dos piernas blancas, tersas, lisas. Piernas equivocadas, de veinte años, en un cuerpo de ochenta que estábamos a punto de amortajar.

Doña Julia tenía tamaño de niña y a veces lo parecía. Quizás había sido siempre una niña sacrificada, modesta y algo triste, que no había tenido tiempo de convertirse en adulta por haber perdido a su madre y haberse visto obligada a salir de su casa muy pronto, a buscarse el sustento. Doña Julia había quedado cruda y blanda por dentro, como quedan los bizcochos o las tortas horneados a un fuego demasiado fuerte y arrancados del horno en forma prematura y violenta. Algo en ella, bajo el grave exterior de señora castellana, rezadora y austera, permaneció siempre tierno, indefenso, vulnerable y a medio hacer, masa apenas amarilla bajo la corteza quemada de un pastel inconcluso.

Mi abuela cargó toda su vida, como un velo de luto plomizo que ensombrecía todos sus actos y sus pequeñas felicidades, una desgracia indescriptible de la que, por lo tanto, nunca hablaba. Su madre, mi bisabuela Juliana, había pasado en un manicomio los últimos veinticinco años de su vida.

No lo supe por ella, desde luego, sino por doña Ana, su nieta, que siendo niña había ido a verla varias veces a la Casa de Salud donde tejía encaje de bolillos o dejaba irse las horas mirando el otro encaje que las arañas urdían en las esquinas de los techos. "Era una loca tranquila", decía mi madre, casi susurrando, para que mi abuela no pudiese oírla, aun a la distancia de varios cuartos. "Las monjas la querían mucho. Cuando íbamos a verla le llevábamos churros, y nos servían unas jícaras de chocolate".

En su última etapa de relativa salud, poco antes de la explosión, un temor recurrente rondaba a doña Ana. La atormentaba la idea de volverse loca, como su abuela, y terminar sus días encerrada en un hospicio donde las monjas servirían a sus escasas visitas jícaras de chocolate o —adaptándose a los usos del país— tazas de mate cocido con leche. Tuvo pleno éxito en la materialización de su mayor temor (o acaso, de su mayor deseo), pero no estuvo internada sino un breve lapso, y en cambio convirtió su casa en un manicomio menos amable, donde nadie servía jícaras de chocolate, y el mate había adquirido un gusto metálico de veneno molido.

La bisabuela no debía de haberse vuelto loca —como doña Ana— a raíz de un exceso combinado de belleza y deseo. En su única foto se ve una mujer corriente y más bien fea, vestida con un traje largo y oscuro de gobernanta inglesa, que mira desvaídamente hacia delante, sin mayor interés por los frutos del porvenir. También debía de haber perdido el interés por los frutos del presente, ya que mi abuela y su hermano Alfredo (el padre del primo del mismo nombre), se criaron como pudieron, sin otra madre que una tía desamorada y la imagen borrosa que aparecía con el costurero entre las manos, en el refectorio del Hospicio.

A la locura de su madre, que avergonzaba y marginaba, pero era sólo una desgracia, se agregó en la adolescencia de mi abuela una casi deshonra. La deshonrada, para su alivio, no era ella sino otra, que no guardaba con doña Julia ningún vínculo de parentesco. De eso sí pudo hablarme, y hasta con cierto humor, que no le impedía utilizar la anécdota para impartirme, indirectamente, clases de moral. Cuando salió de la casa paterna, la abuela Julia sólo contaba con un capital simbólico de firmes conocimientos en cocina económica, algunos rudimentos de bordado y cosido, el intachable apellido de un padre muerto, un metro cuarenta y cinco de estatura y una trenza rubia que le llegaba a las menudas caderas de muñeca pre-Barbie.

La tía desamorada le consiguió un puesto de asistenta en una casa lujosa, pero con una dueña de incierta reputación. "No porque ella sea una fulana vas a dejar tú de andar derecha" —la había recriminado con anticipación previsora—. "Allí estarás comida y bebida como una reina. No tendrás mucho trabajo, que para las faenas pesadas hay una mujerona. Si te das maña, hasta aprenderás idiomas, porque ella es extranjera y porque los señores viajan. Y sabrás cómo se lleva una casa grande, para cuando tú la tengas, que no por ser pobre ahora debes desesperar." Con esas palabras aleccionadoras, y con un escapulario que guardaba una reliquia de santa, para que la protegiese no sólo de los actos perversos sino de los malos pensamientos, mi abuela marchó, espiritualmente fortificada como una mártir cristiana, a la mansión de las afueras de Madrid donde pasaría los próximos años.

La fulana se llamaba doña Margarita. En realidad, Margot, por ser francesa de origen, pero tenía prohibido que así se dirigieran a ella. Después de un frívolo pasado de estrella de vodevil, quería desterrar de su nueva casa todo aquello que se lo recordara. Doña Julia, que entonces era Julita, no pudo haber encontrado un modelo más edificante que el que su patrona le ofrecía. Margarita, ex Margot, había cortado con todas las amistades sospechosas de su vida anterior. No entraban al *petit hôtel*, convertido en santuario de la respetabilidad burguesa, ni cupletistas disfrazadas de damas, ni tonadilleras, ni las coristas del Folies Bergère o de cualquier otra casa de placer, pintadas por Degas, Manet o el genial y contrahecho conde de Lautrec, atrapado en la belleza de lo monstruoso.

Doña Margarita aún cantaba y tocaba algo el piano, pero sólo algunas arias de ópera en italiano o en francés, acompañada por un profesor, viejo y con lentes, que hacía venir del Conservatorio para corregir sus errores. La única debilidad popular que todavía conservaba, era la zarzuela. Aunque no era nativa, entonaba con mucha gracia las mejores canciones de *La verbena de la Paloma* o de *La Revoltosa,* y no quería perderse un estreno en el teatro. No siempre el señor podía llevarla. Don Fernando repartía su vida material y su corazón ambivalente entre Barcelona, donde tenía su casa y esposa legítima, sus tres hijos y una parte de sus negocios, y la Corte, donde estaban el placer, la amante francesa, la casa clandestina y la otra parte de sus negocios.

En los últimos años, que coincidieron con la llegada de Julia a la residencia de las afueras, a veces lo abrumaba la sensación de tener dos esposas legítimas y dos casas, si no iguales, cada vez más parecidas la una a la otra. Sin embargo, Don Fernando apreciaba sinceramente la discreción de su amante, una mujer vistosa, pero no vulgar, que apenas se pintaba y que sabía vestirse como una señora. Después de todo, era un comerciante duro y conservador, no un libertino, y en las cenas que daba para otros hombres de negocios, donde Margarita resultaba una anfitriona magnífica, los excesos no pasaban del caviar, el champagne y las trufas que podían conseguirse en Lardhy.

Acaso doña Margarita volvía a ser Margot sólo un piso y tres puertas más adentro, en los altos de la casa, en el dormitorio detrás de la biblioteca, detrás del vestíbulo, detrás de la antesala. Allí se escondía la lujuria de una cama descomunal, parecida a un trineo, con laureles de bronce sobre la caoba oscura y águilas y grifos mitológicos adornando el respaldo. Una reliquia del Imperio napoleónico que don Fernando había traído de París, junto con la francesa, para sentirse un soberano en el reino minúsculo de su secreto dormitorio. Doña Julia, moralista y vieja, reproducía empero, al contármelo, su fascinación de niña de pueblo que hacía y deshacía esa cama fastuosa, y cambiaba las sábanas de encaje y raso, y los cubrecamas de seda bordada, y espumaba encima de ellos la cascada de tul que caía de lo alto, y colocaba sobre las almohadas los camisones y las batas festoneadas de frunces y de cintas que arropaban la piel de estatua viva de la amante cuando se levantaba de esa cama y se peinaba los largos bucles, también caoba, que hacían juego con la madera lustrosa.

Quizá Julita se preguntara, entonces, a qué países conducía esa cama con ambiciones de trineo, qué territorios prohibidos sobrevolaba, qué placeres inexplicables promovía, distintos o mejores que los de los matrimonios previamente desinfectados con incienso y agua bendita.

A doña Margarita, sin embargo, no parecían bastarle esos placeres. Aunque en los armarios ventrudos colgaban otras batas (de satén y terciopelo, de gasa desvergonzada) y bajo la cama se multiplicaban las chinelas japonesas y las babuchas turcas, ella no prestaba mayor atención a esos bienes deliciosos. Sentada sobre la cama gigante, encogida y abrazándose las rodillas con infinito fastidio, miraba por el ventanal que daba al parque. Que las rosas floreciesen como pintadas en una seda china, o que los pájaros cantasen con irresponsable abandono: para ella todo era lo mismo. Ya estaba a punto de convertirse irremediablemente en una vieja. Aunque ni las arrugas ni las canas hubiesen dado todavía la alarma, doña Margarita era bien consciente de las fechas fatales inscriptas en su partida de nacimiento. Se acercaba a los treinta y cuatro años, y aún no abrigaba claras perspectivas de ascender al rango de esposa. La salud de la legítima de don Fernando era esperanzadoramente precaria desde hacía por lo menos diez años, pero aquella señora no había tenido aún la cortesía de morirse. A pesar de su paciencia y buen humor habituales, Margarita se hartaba a veces de las vacilaciones de esa mujer tan indecisa, pero tampoco quería ofenderla ni ofender a la Providencia. En ocasiones, cuando a don Fernando no le tocaba visita, acudía a una imagen de santa Rita, abogada de imposibles, de la que era muy devota, y a la que tenía entronizada en un altarcito, sobre un mueble esquinero en la antesala del dormitorio. Impecablemente vestida de calle, y hasta con el sombrero puesto, para guardar la debida compostura y no molestar a la santa con una confianza excesiva, se sentaba ante ella en un silloncito, después de haberse persignado de rodillas. Comenzaba entonces, a media voz, un rezo que más bien parecía una conversación entre una amiga joven y una mayor y un poco intolerante, o entre una niña modosa y una madre que se empeña en mantener una prohibición desmesurada. "Porque, vamos a ver, vamos a ver —argumentaba cartesianamente doña Margarita—. *Ce n'est pas raisonnable, c'est, simplement, insensé*... ¿Qué ganamos con todo esto? Sufrir las dos, nada más, sin que ninguna disfrute. *Tu le sais bien, Madame*, señora Santa Rita, que yo no le deseo ningún mal a nadie. No es por maldad, entonces, que te pido le ayudes a Dios a llevarse al Cielo a doña Petronila. Es que la pobre no hace ya nada en la tierra. Es como el perro del hortelano, que ni come las peras ni las deja comer. Tú sabes bien que lo he dejado todo, que nadie puede decir una sola palabra sobre mi conducta, que mi único pecado es vivir como vivo con Fernando y que eso se arreglaría en un abrir y cerrar de ojos, con sólo que tú quisieras, y que Dios quisiera... Si convences a Dios para que se apiade de doña Petronila, te prometo que no le faltarán misas en cada aniversario, que yo personalmente le pondré todos los meses flores frescas sobre su tumba, y que seré una madre para sus hijos, aunque yo también llegue a tener los míos."

Los hijos de don Fernando, cincuentón, no sólo no necesitaban una madre de treinta y tres, sino que, mozos ya, le envidiaban la francesita que alguien les había mostrado de soslayo, mientras paseaba en carretela por la Gran Vía. Todos sabían en Madrid, naturalmente, que don Fernando escondía una odalisca privada en su pequeño Aranjuez. Por eso, los mejores momentos de doña Margarita no transcurrían en la Corte, sino en Biarritz, donde nadie los conocía (don Fernando jamás había ido por allí con Petronila), y donde pasaban por una pareja bien casada.

También mi abuela tenía buenos recuerdos de la playa, a la que iba con quitasol propio, y de los hoteles en los que podía aplicar sus conocimientos de francés elemental, y decir cosas tales como "Silvuplé", "Comantalevú", o "Escusemuá", y que todo el mundo la entendiese a pesar de su duro acento castellano, y hasta le respondieran.

Finalmente las oraciones de doña Margarita causaron efecto, o bien doña Petronila se decidió por sí misma a abandonar un mundo donde, al parecer, ya nadie la necesitaba. Cumplido el año de luto, don Fernando se casó con su amante francesa, que se estaba desbarrancando peligrosamente hacia los treinta y cinco, en una ceremonia reservada y poco ostentosa, a la que asistieron sólo aquellos miembros de la familia que no se sintieron ofendidos por el desposorio, y unos pocos amigos fieles.

En la cocina de Madrid, las opiniones de los criados de la casa eran divergentes. Uno (el jardinero) sostenía que el patrón se había portado como un perfecto caballero español, al cumplir la promesa empeñada a una amante fiel, que, como a todos les constaba, jamás había sacado los pies del plato, y cuyas únicas escapadas consistían en asistir de cuando en cuando a la zarzuela, custodiada por su doncella, la Julita, que era una inocente. El cochero pensaba que el caballero español era más bien un perfecto imbécil, por haberse sometido otra vez a la coyunda matrimonial con una amante usada que ya iba para vieja, en vez de cambiarla por otra de dieciocho, y a lo sumo señalarle a la concubina retirada una pensioncita o ponerle un estanco para que se ganase la vida honradamente. Pero la tesis más escandalosa la sostuvo el proveedor de comestibles, para quien todo el mal venía de que en España hubiesen perdido la guerra los reyes moros. "Si aquí gobernasen los califas, doña Petronila y doña Margarita hubiesen sido ambas señoras decentes, y no se escandalizaría nadie. Y don Fernando, que es hombre de posibles, aun podría haber tomado otras dos legales, nadie chistaría, y todos tan contentos. ¿No digo yo que los moros eran más civilizados?"

El ama de llaves fue quien zanjó la discusión, diciendo que las leyes de los infieles estarían bien para holgazanas y mantenidas como las mujeres de los ricos, pero no para las mujeres de trabajo como una servidora y como la presente Julita. Que si los hombres contaban con esos derechos, por qué no iba a tener ella, que se deslomaba todo el día, el privilegio de disponer de dos zánganos perfumados que la abanicasen y se desviviesen por darle los gustos, ya que no se ocupaban en cosa de más provecho. En cualquier caso —concluyó— mejor era que todos, varones y hembras, se ganasen el pan con el sudor de su frente, y se bastasen a sí mismos sin necesidad de emplearse en harenes, o de estar rezando blasfemias a los santos, como la Margot, a ver cuándo se moría la primera y le tocaba a ella el turno de ser esposa.

Aquí mi abuela bajaba la voz, y casi se entristecía. "Ya ves, hija mía, que para algunas cosas la fortuna es más un daño que un beneficio. Doña Margarita estaría muy bien servida, pero también muy vigilada, como si la hubiesen puesto espías, que eso son los criados, y voluntariamente. Con algo tienen que divertirse y la vida de los amos es el único teatro que pueden ver todos los días, sin necesidad de pagarlo. No creerás que yo había dicho nada a nadie sobre los rezos de la señora a santa Rita. Pero todos estaban enterados, o por lo menos el ama Casilda."

No es que doña Julia aprobara sin más la lógica francesa de esas oraciones, aunque al lado de la locura de su madre cualquier lógica podía parecerle buena. Pero aun así, consideraba que doña Margarita no había sido una mala mujer. Al menos, fue la única madre que estuvo a su lado, en el primer banco de la iglesia, cuando llevó el velo de novia. Y también la única —reconocía— que le había dado un consejo sensato aunque lo hubiese desoído: no casarse con el hermoso andaluz que sólo le trajo algunas alegrías y muchas miserias, y buscarse antes bien un viudo maduro, complaciente y rico, que fuera capaz de ofrecerle la vida de ocioso bienestar que doña Julia, al parecer destinada desde su niñez al servicio de los otros, no conocería nunca.

El relicario

La otra cara de la moneda está en el relicario.

Es la cara del abuelo andaluz, el señor Francisco, que hubiese sido señorito de no pertenecer a una familia en bancarrota.

Don Francisco y yo nacimos el mismo día y casi a la misma hora, aunque separados por décadas de distancia, y por la muerte que nos impidió conocernos. Nunca vi su cara de viejo, porque jamás la tuvo. Y aunque llegó a la madurez, y había alguna foto suya en ese estado, que mostraba, inmisericorde, su deterioro de hombre endeudado y fumador, mi madre no la exhibía nunca. Prefería enseñarme la cara del relicario donde ella y su padre tenían la misma edad.

Ese rostro que aparece bajo la tapa del camafeo había sido recortado cuidadosamente de una de las tantas copias de la foto de casamiento, donde el abuelo Francisco resplandecía —según doña Ana— en el apogeo de su belleza varonil. A su lado, mi madre reluce —a su vez— en el cenit de su belleza femenina, tan parecida a la Rita Cansino Hayworth de *Sangre y arena*, que por momentos se la creería tomada de una revista de Hollywood.

La inútil belleza de mi inútil abuelo le venía por la rama masculina de la familia. Igualmente hermoso había sido su padre, sentenciado a vivir todavía menos que su hijo mayor y fracasado. Aunque los gustos varíen, aunque los bigotes con guías hayan pasado a la historia de la ridiculez, es imposible negar la perfección de las facciones delicadas de mi bisabuelo, que miran ciegas a su posteridad desde su único retrato. La delicadeza, tan impropia de la profesión militar que ejercía ese hombre delgado y fino, apenas se compensa por el énfasis del bigote, por la altivez del ceño, un poco fruncido, o por las condecoraciones que el capitán exhibe sobre su uniforme. A su lado, doña Adela, su esposa, guapa al estilo antiguo, parece excesivamente exuberante y carnal, como solían serlo las burguesas sedentarias, dedicadas a la reproducción y sobrealimentadas con sustanciosos cocidos, almíbares y natillas. Algo en ella —¿la mantilla blanca, la mandíbula fuerte, la forma de la nariz, la decisión de la mirada?— me recuerda a su contemporánea, la escritora argentina Eduarda Mansilla, aunque no tuviese mi bisabuela, al parecer, ninguna vocación para las letras.

¿Qué habría escrito, de haber querido, sabido o podido? Tal vez una novela sentimental, bajo seudónimo, que le permitiese incluso ganar algún dinero, y no la verdad que abrumaba su vida. En la Guerra de Cuba, doña Adela no sólo había perdido prematuramente a su marido, sino también, con él y con la isla, los intereses, vínculos y rentas que la familia mantenía en aquellas dulces tierras de caña y de café.

Ella y los cuatro hijos huérfanos del capitán Calatrava pasaron a depender de una pensión miserable. Se vio forzada a vender la gran casa frente a la Plaza Mayor, y acomodarse en una vivienda de tres cuartos, en un barrio alejado. Quizá, en esos años, las mejillas perdieron su frescura redondeada, y doña Adela se agrió y se agostó, como una viña seca que da mal vino.

También ella murió pronto. Tanto, que doña Julia no alcanzó a conocerla. "Mejor así", susurraba doña Julia. "Ninguna falta le hacía ver en qué pararon sus hijos". Nunca supe si la abuela Julia se incluiría también ella en esa malaventura que su suegra hubiese tenido que tolerar. ¿O no lo era, asimismo, el hecho de que el hijo mayor del capitán Calatrava se casase con una empleada doméstica, por honrada y de buena familia que ésta fuera? Pero ya mucho antes el muchacho se había echado a perder, cuando decidió abandonar los estudios de militar a los que tenía derecho por ser huérfano de uno, muerto en acción de guerra.

No había nacido mi abuelo para el estruendo de las armas, ni tampoco para el retirado silencio de las letras. Francisco se había propuesto ser pintor y emular a Goya, de quien admiraba tal vez no sólo el genio, sino el don de atraer el amor o la curiosidad lasciva de tantas bellas cortesanas y duquesas. No logró lo del genio, desde luego, aunque sí, de vez en cuando, los favores de alguna dama de linaje. Si mi abuelo hubiese sido mujer, a nadie le hubiera parecido extraño que aprovechase esta situación y que vendiese o alquilase su belleza a cambio de algún regalo en joyas o en metálico. Pero Francisco no sólo era varón, sino que además era o se creía, como don Fernando, un caballero español y no un pícaro lazarillo y por lo tanto jamás obtuvo compensación venal por su prodigalidad amorosa. Hubo, con todo, una excepción involuntaria, y me enteré de ella, no por mi madre, sino por mi tío Adolfo que, si bien se consideraba un marqués, exento por derecho de nacimiento del degradante trabajo manual, no tenía deseo alguno de ser caballero. "Un día llegó a casa una cigarrera de oro. No me preguntes quién la mandó, porque no tengo idea. La mala suerte, o la buena, fue que el mensajero no había encontrado a mi padre en su taller cuando llegó con el paquete, y como tenía órdenes de entregarlo personalmente, vino con él hasta casa. La que lo abrió fue tu abuela. No había nota ni indicio alguno que pudiese dar la pista del remitente. Mi madre se sentó y no paraba de suspirar y de darle vueltas en las manos a esa joya que me tenía alucinado, y hasta creo que se le escapó alguna lágrima, a pesar de lo severa y reservada que era. Yo no llegaría entonces a los ocho años, y no me cabía en la cabeza que alguien pudiese entristecerse con semejante regalo. Al rato apareció mi padre, y tu abuela lo miró un buen rato de arriba abajo, sin abrir la boca. Al final le mostró la cigarrera y le dijo: 'Te debe de haber mandado esto algún cliente, Francisco. Seguramente ése que te adeudaba el último trabajo. Es muy bonita, pero con esto no comemos, así que voy a empeñarla'. Tal como lo dijo lo hizo. Volvió con dinero fresco, y tuvimos la mesa servida ese día y los que siguieron, hasta que de verdad el cliente saldó su deuda."

"Mi padre", concluyó el tío Adolfo, "era un papanatas. ¿Para qué están las mujeres adineradas y aburridas sino para que se las explote? Si no se merecen otra cosa, si es lo que están buscando. Ya que no servía para trabajar ni tenía tino para escoger clientes, hubiera podido y debido vivir de su buena facha. Sólo tendría que haberlo hecho bien, sin que tu abuela se enterase, que no había por qué darle el disgusto. Si tu abuelo no hubiese sido tan idiota, no hubiéramos comido salteado, ni nos hubiésemos vestido con la ropa usada que nos regalaba la única tía rica."

La abuela Julia compensaba tantas carencias con sus dos trabajos. Uno era deslucido y cotidiano y pasaba por completo inadvertido. El otro era esporádico y bochornosamente visible. En su primer empleo, doña Julia cocinaba, cosía, remendaba, lavaba y planchaba, auxiliada a veces, cuando las rachas eran buenas, por una asistenta recién llegada de la aldea. Sabía multiplicar, como Jesús, los panes y los peces, y hacía maravillas de diseño y reparación textil. En su segunda ocupación, vestida con su mejor traje de calle, con la cartera y el sombrerito puestos, tomaba la ruta del Monte de Piedad, rezando para que ninguna conocida reparase en ella. Engalanada como estaba, hasta con guantes y un collar de abalorios negros, cualquiera hubiera pensado que iba a la confitería o al teatro, y no a empeñar sus pocos bienes empeñables.

Si no había tropezado con ninguna de sus amistades antes de llegar a las dos cuadras del Monte, se juzgaba salvada. Cualquier persona con la que se encontrara en ese corto radio, iría sin duda por lo mismo que ella, y no tendría de qué avergonzarse. Mi abuela, tan devota, tan poco propensa a la exhibición y la vanidad físicas, pecaba, sin embargo, de orgullo. Odiaba aceptar los préstamos de su hermano Alfredo, o de doña Margarita, que había logrado tener dos hijos de su tardío matrimonio y la invitaba a merendar todos los meses. Acaso —pensaba doña Julia— porque cualquier ocasión era buena para exhibir esos niños casi milagrosos, que su madre atesoraba como si fuesen jarrones exóticos de alguna olvidada dinastía china.

Mi abuela temía esas dos miradas: la castaña de Alfredo, la azul de la francesa, porque en ambas desembocaban, mudos, la compasión y el reproche, y prefería la institución impersonal y burocrática, donde lo único verdaderamente piadoso era la indiferencia más o menos cortés de los empleados.

En la cara del relicario estaba sin duda mi mejor abuelo. Un joven de mansos ojos pardos, que —como los de mi madre— debían volverse de miel, calados por la luz. ¿Por qué se había casado doña Julia con ese buen mozo? ¿Es posible que esa mujer bajita y sin relieves, castellana escueta, no tuviera miedo de que cualquier otra le arrebatase su galán alto, moreno y sureño, más llamativo que quien después sería Rodolfo Valentino?

Quizá pensó que todos los riesgos valían la pena, y que ese amor despampanante como un tapado de armiño, novedoso y bruñido como un Ford T. lleno de faros y bronces, la vengaba de su pasado de Cenicienta, y probaba que hasta los pobres y desheredados podían ser alguna vez favorecidos por la suerte. Francisco Calatrava fue para ella su billete de lotería y demostró una vez más, la sabiduría del proverbio: "Cuidado con lo que deseas, porque puedes llegar a conseguirlo". ¿Por qué en cambio, Francisco, que podía haber enamorado a cualquier otra, se casó con Julita? El hijo del capitán Calatrava había visto esfumarse y desaparecer demasiados puntos de referencia en el mapa de su vida: un padre, una casa con diez habitaciones, un jardín, dos galgos de *pedigree* comprados para cacerías ya irrepetibles, y sobre todo, la convicción de que el mundo era una tierra estable y segura donde los señoritos que habían nacido para serlo seguirían pisando fuerte, mientras a sus costados, sobre el terreno pantanoso, los restantes mortales se sostenían apenas, asidos a ramitas quebradizas.

El cadáver del capitán nunca volvió a España. Despedazado en una explosión y quemados sus restos, doña Adela recibió un simbólico puñado de cenizas que podían haber sido muy bien de cualquier otro. Francisco, entonces niño, destapó un día esa urna que la madre guardaba en una hornacina, flanqueada por dos velas, como si hubiese sido una Virgen o una imagen de santo. Las cenizas no le parecieron distintas de las que se acumulaban en el fogón de la cocina en las mañanas de invierno. Tomó apenas una pizca entre dos dedos y las dejó volar. Se pulverizaron, flotaron y cayeron, indistinguibles del polvillo suspendido bajo el sol de la mañana en el aire del cuarto. En ese momento, Francisco perdió simultáneamente dos certidumbres que ni siquiera tenía conciencia de poseer: la fe en Dios, y la fe en España. No en la tierra madre que pisaban sus pies, no en la lengua espléndida, sonora y abierta, siempre a la orilla de la música, que fluía en la calle; tampoco en las casas blancas y los balcones floridos ni en las vasijas de barro colmadas de agua fresca que copiaban en ese espejo la luz del cielo. Francisco dejó de creer en el honor y en el poder de la España que había mandado a su padre al matadero por defender esas palabras huecas, y las posesiones que muchos (incluida su propia familia) se empeñaban en tener sobre la patria de otros.

Se juró entonces que nunca sería militar ni creyente en el Dios que convalidaba esos vanos estandartes. Sin Dios y sin España, se pondría a buscar mujer unos años más tarde. La encontró una mañana de domingo de 1908, en un Madrid donde los dos eran inmigrantes. Se fijó en la dama alta (imposible no verla) que cargaba, ligera como si se tratase de plumas de pavo real, un grueso vestido drapeado de media cola. Pero no pensó en esa inaccesible belleza de fantasía, sino en la joven que la acompañaba. Iba sencilla, impecablemente cosida, lavada y planchada como muñeca de pobre que no tiene otros brillos que ésos para envanecer a su dueña. A mi abuelo debió de parecerle perfecta y elemental como el pan caliente y el agua clara que los artistas y los huérfanos necesitan para sustentarse.

Las dos entraban a la misa de once, y Francisco, descubriéndose, se apresuró a ofrecerle a la muchacha el agua bendita, mientras seguían resonando las campanas pertinaces, ignorante de que se anticipaba a la letra de un tango (*—Voces de bronce llamando a misa de once/ Cuántas promesas galanas/ cantaron graves campanas/ en las floridas mañanas/ de mi dorada ilusión!..—*).

La suerte lo protegió. Al mes siguiente, el pintor de interiores con el que trabajaba fue contratado en la casa de la francesa para la decoración de la sala y el vestíbulo, y Francisco pudo empezar formalmente su cortejo.

El relicario II

En la otra mitad del relicario está la cara de mi madre. No es extraño y no debió de ser ofensivo para doña Julia que fuera el abuelo Francisco y no ella, el seleccionado para compartir ese espacio de la memoria. Es que en la vida de su hija Ana, mi abuelo estuvo mucho más tiempo muerto que vivo, mientras que doña Julia, que se obstinó en el valle de lágrimas durante más de ochenta años, duró hasta que mi madre (sin obtener por ello ninguna sabiduría) fue casi vieja también.

El psicoanálisis, género literario más popular de nuestro tiempo, daría acaso otra razón: que el abuelo Francisco haya sido el único hombre del cual mi madre estuvo verdaderamente enamorada. Podríamos pensarlo también de distinto modo. Tal vez doña Ana buscó siempre, en sus novios y marido, el padre ideal que no tuvo jamás: un sereno protector, que fuese capaz de producir, en equilibradas dosis, belleza, bondad y dinero.

Pero hay una trampa. El óvalo que enmarca el retrato del abuelo es en realidad la puerta de un palimpsesto. Otra es la cara que se trasluce —sólo para los ojos de mi madre— bajo la superficie opaca, inobjetable, sagrada, en fin, que diseñan los rasgos de Francisco. También ésa, la oculta, es la cara de un muerto.

Si hay difuntos públicos y notorios, que vuelven en la fecha de sus aniversarios, traídos por los ritos conmemorativos de toda una nación; si hay muertos familiares invocados naturalmente en las conversaciones de sobremesa, hay otros cuya memoria está destinada a la borradura y al silencio. Así pasaba con el primo Pepe, el primer novio de Ana, y también su prometido oficial, con quien estuvo a punto de entrar a la iglesia, el mismo que le había regalado ese relicario donde la foto del abuelo ocupaba el lugar que Pepe no podía ni debía tener.

Dos buenos motivos confinaban al antiguo novio en el ángulo oscuro donde lo depositara la muerte. Uno de ellos era, obviamente, su condición de prometido que favorecía las nostalgias y las odiosas comparaciones. Mi madre no podía decir —aunque sí lo pensara— cuánto más feliz hubiese sido su vida si en vez de casarse con Antón, el rojo, hubiese cumplido su destino de esposa con José María.

El otro motivo, no menos grave o casi más grave que el otro, era que el primo Pepe, fusilado en una zanja, constituía por sí mismo una acusación muda e irredimible contra Antón, el rojo (aunque ninguna parte personal hubiese tenido éste en la masacre), y contra todos los de su bando. La muerte trágica y prematura de José María, como en un pulcro trabajo de *photoshop*, eliminó a los ojos de su novia y de su familia, todas sus imperfecciones. Mi abuelo descartó, incluso, la desaprobación que no había dejado de expresar, en su momento, hacia el matrimonio de su única hija con ese niño rico y algo consentido, que quizá hubiese muerto pronto de todas maneras, estrellado en su moto. Una Douglas poderosa y flamante retratada en todo su esplendor en la única imagen que ha quedado de él, donde la cabalgadura es tan importante como el jinete. El primo de veinte años parece el modelo de un aviso publicitario: viste de cuero de pies a cabeza, con botas acordonadas hasta la rodilla, guantes y una gorra con orejeras en la que se trepan los anteojos de camino. Tiene cejas anchas y ojos vivos y la cara redondeada y simpática de alguien que no le haría daño a nadie. Todos los bronces y cromos de la moto brillan en blanco y negro. El fondo es completamente indiscernible y neutro, como si no hubiese otra cosa en el mundo que la imagen recortada de un centauro con ruedas. O como si el primo Pepe, ya presintiendo su inmediato final, hubiese elegido representarse suspendido entre nubes imprecisas, para siempre vivo en el horizonte ilimitado de su fantasía.

Mi madre se consideraba, con respecto a él, una casi viuda, y desde luego, una sobreviviente. Si sobrevivir tiene algo de milagroso y de mágico, si por momentos hace sentirse al destinatario de esa gracia como un elegido de la fortuna, también tiene —y quizá sobre todo tiene eso— algo de siniestro. El que sobrevive, entonces, no es un afortunado, sino alguien que ha eludido indebidamente su destino: un resto, un desecho de una vida real y siempre anterior, condenado de aquí en más a la dudosa sobreexistencia de los vampiros. Alguien que ya no vive sino sorbiendo la sangre de los otros, entre los claroscuros de la noche, y que se desmenuza, hecho polvo, cuando lo hiere la genuina luz del sol.

Ana, la auténtica Ana, la que aún no era mi madre, tendría que haber muerto esa tarde de verano de 1936, en el "paseo" sin retorno de tres curas y una monja, escondidos en los bajos de la casa de la tía Luisa y el primo Pepe, ambos presentes el día de la requisa, y que con ellos fueron llevados a compartir su destino. Ningún consuelo supuso para Ana el que —según enunciaron luego las esquelas fúnebres— ese martirologio, en todo caso involuntario, le facilitase a su infeliz enamorado el pasaporte directo hacia la gloria eterna.

Si la modista no le hubiese cambiado para esa tarde el turno de la última prueba del vestido de novia, doña Ana hubiese quedado en el zanjón, como quedaron los otros. Pero las amonestaciones nupciales estaban leídas y el vestido cortado y cosido —que terminó ciñendo el cuerpo de otra novia— tenía que ser sometido al ajuste final, antes de la ceremonia. Si Ana hubiese faltado a la prueba, hubiera acudido, en cambio, a su verdadera cita.

"Me tendrían que haber matado esa tarde, con Pepe y con la tía Luisa. Hubiera sido mejor", decía, a veces, doña Ana, cuando la supervivencia de vampiro se le hacía insoportable, y prefería olvidar que en el falso territorio de esa vida excedente y equivocada, se había casado con otro y había construido dos hijos y una casa.

Los muertos propios son únicos, irreemplazables, irrefutables. De nada hubiera valido que mi padre apelase a las maldades del tío cura de Cespón, o a los abusos que jalonaron la historia clerical de España. De nada, tampoco, que esgrimiese otras estadísticas: las de las matanzas cometidas por los "nacionales", las de la represión de la dictadura que se prolongaron, impunes, durante años. Aunque eso –la mutua brutalidad– racionalmente llegara a ser comprendido, cada uno seguiría viendo sólo el agujero del cráneo de su muerto por donde había entrado la bala matadora.

Pepe

Muchas veces Perico y yo nos pasamos los grandes ratos charlando de nuestra vida y de nuestra fortuna. Él me envidia que tenga una novia tan guapa, tan buena y que me quiera tanto. Es verdad, Anita. Tenemos lo que tantos desean, quizá más. Un cariño como el nuestro de tanto tiempo con tantos recuerdos bonitos y tantas ilusiones es lo más que se puede ambicionar en esta vida, como eso no hay nada.

Pepe estudiaba ingeniería en Lieja. Desde la primavera hasta el invierno de 1935 le escribió a Ana cartas esperanzadas. Pronto acabarían la carrera y las ausencias. Ana esperaba también. Su padre estaba enfermo y el taller languidecía, casi en la ruina. El tío Adolfo aún no concluía el Conservatorio, y su sueldo de empleada de tienda era muchas veces el único ingreso de la familia.

Ana confiaba, desde luego, en la salvación del matrimonio, que pronto llegaría como otro regalo más de Pepe (el más grande de todos) con los manguitos de piel y las botas Katiuska, el anillo de bodas y los pendientes de oro fino con una gema tornasolada. Pero lo más importante no era eso, sino el amor: el primero, para los dos, que comparaba descaradamente su estatura con las maravillas del mundo y los más altos paradigmas de la belleza. Cuando abría las cartas de su novio, Ana se veía reflejada en espejos extraordinarios: los más deslumbrantes que hombre alguno le presentaría nunca. *El domingo que viene vamos a Holanda todo el día: saldremos a las seis y media para volver a las once de la noche. Tengo una ilusión muy grande por ver ahora en primavera los campos de flores y los canales y los molinos de viento, lástima que no estés aquí. Entonces me parecería doblemente hermoso todo... Tú eres para mí más bonita que las rocas de Tracia, más hermosa que el mar, más bella, mucho más que la catedral de Colonia y que la Mairie de Lovaina... infinitamente más.*

La nieve trajo los exámenes, y también la tristeza. Ana releería innumerables veces en su vida palabras que no podían sino antojársele premonitorias. *Nena mía, termino hace unos minutos de examinarme de Física. No me ha ido mal, por eso podría estar contento, pero hay ratos como éste en que una melancolía infinita me entra sin saber por qué. Ya a las cinco de la tarde es de noche y hoy hacía mucho frío, un frío de niebla que me ha penetrado hasta el alma. ¡Ya no puedo más! Todo me parece ya lejano, el recuerdo y el porvenir.*

¿Qué vería Pepe en esas horas extranjeras y casi nocturnas? ¿Respiraría anticipadamente la tierra oscura que apenas en unos meses se quedaría adherida a su cara rota y atónita de recién fusilado? Ana, por su parte, le enviaba sus propias fotos mudas, donde los ojos de ámbar y la curva de la boca parecían velados por un luto invisible. *No me importaría ser el más desgraciado del mundo si tú fueses feliz. Pero mi pobre Ana está triste y eso es más de lo que puedo soportar. Cuántas veces pienso en dejarlo todo, pero estoy acorralado, no sé qué pensar... ¡Ay, Anita, qué dura es la vida! Lo que sí, Dios no puede haberme castigado por demasiada ambición. Tengo lo que los demás a veces desprecian: la falta de aspiraciones o las aspiraciones más modestas. Tenerte, poderte tener siempre conmigo, nada más que eso. No aspiro ni he aspirado a nada más. Pero, ¿no será esa la felicidad más grande del hombre? ¿No será un pecado la insensatez de pretender la felicidad en este mundo? Dios mío, ¿será una ofensa quererse tanto? Yo no sé qué pensar. Cuanta más falta me hacía el valor, más débil me encuentro.*

El invierno y la melancolía pasaron, sin embargo, y Pepe volvió con su título bajo el brazo para casarse con Ana.

"¡Ojalá lo hubiesen reprobado en todo! ¡Ojalá se hubiese retrasado un año más en terminar la carrera! Yo hubiese ido a reunirme con él de todos modos en Lieja. Pepe estaría vivo. Tú serías unos cuantos años mayor, claro. Pero viviríamos juntos en España, o en Lieja, qué más da." Eso me decía mi madre, como si para ella, por obra de un milagro genético, yo hubiese podido ser la misma (y no una hipotética hermana o hermano) de haber nacido unos años antes. O, peor aún, como si yo fuese y hubiese sido siempre la hija de Pepe (o hija sólo de Ana y de su deseo) y no la de Antón, el rojo.

Me indignaba, por entonces, esa asimilación descabellada, en contra de la más elemental biología. Ahora que Pepe y Antón están ambos muertos, creo que no era, después de todo, tan absurda. Pepe había hecho la carrera que hubiese cursado Antón, de haber contado con medios de fortuna. A los dos les gustaban las máquinas veloces, la ropa de cuero, los trajes de buen corte, los campos en primavera. Los dos tenían las cejas anchas y los ojos marrones. Los dos amaron, con pasión sucesiva, a la misma mujer y, salvo por esa circunstancia, que los condenaba a enfrentarse si se hubiesen conocido, hubieran podido hacerse amigos.

De algún modo soy también la hija de Pepe, y compenso su muerte extemporánea y su destino estéril. Mi falso padre, mi padre que no llegó a ser, está enterrado desde hace más de siete décadas en un cementerio de Madrid y han desaparecido ya todos los que podrían recordarlo. Pepe sólo cuenta con mis ojos para mirar su cara de veinte años, para leer las líneas que escribió —sobre el mismo papel cuadriculado donde seguramente haría cálculos— en el cuarto de estudiante de una ciudad lejana, ganado por el frío. Nada nos avecina ni nos confunde. Nada en mi sangre repite los dibujos que estaban profundamente inscritos en sus células, pero en mis ojos y gracias a ellos, Pepe, el falso padre verdadero que también yace para mí bajo la cara del otro como la figura de un antiguo palimpsesto, es, ahora, inmortal.

El tío Adolfo

El tío Adolfo había sido considerado por diversas ramas de la familia, alternativa o simultáneamente, un tonto, un vago y un inmoral.

Lo de tonto podía remontarse con facilidad a sus primeras fotografías. Allí, al lado de mi madre, su hermana mayor, mi futuro tío, vestido de marinero, mira hacia el hombre que debió preparar la ceremonia de la imagen con los mismos ojos redondos y aterrorizados que sólo reaparecerían después en su único sobrino: mi hermano Adolfito. Parecen ojos de bobo, aunque ni el tío Adolfo ni Fito, mi hermano, lo fueron nunca en un sentido puramente intelectual. Sin embargo, no dejaron de tomar una tras otra decisión equivocada, ni de escandalizar y decepcionar con ellas a parientes y amigos.

La leyenda de la tontería de Adolfo comenzó, como luego la de mi hermano, en la escuela primaria, porque regalaba a sus compañeros más decididos las canicas o las figuritas que había comprado con sus economías de la semana, o se dejaba ensuciar mansamente los cuellos planchados con almidón que salían de las manos de doña Julia. Siguió, aumentada y corregida, años más tarde, y por motivos contundentes: como cuando desposó, por poder y por despecho —otra acababa de abandonarlo— a una antigua novia que se desquitó engañándolo con media tripulación del transatlántico que la traía a la Argentina. O cuando gastó sus ahorros y su tiempo en el trámite de conseguir la ciudadanía estadounidense, con el objeto de pasar la última etapa de su vida en la casa rodante de un *camping* de Miami.

Desde sus primeros años, Adolfo fue un niño de salud delicada y escaso apetito al que doña Julia cuidaba como a una mariposa de alas transparentes colocada bajo un fanal. Sufría, en grado leve, de asma, y esa afección lo redimía de la escuela cuando nevaba o escarchaba, también de los deportes y de cualquier colaboración (impensable tanto por su fragilidad como, paradójicamente, por su género masculino) en las tareas de la casa. Mi tío debió de pasarse buena parte de la infancia entre columnas de almohadas, sahumado por los vapores aromáticos del eucalipto mientras se dejaba atiborrar de música y de aventuras, transportado a mundos mejores por las ondas de Radio España que ponían un inesperado fondo solemne a las peripecias de los libros de piratas. Aquellas transmisiones, probablemente de calidad infame, emergían de una primitiva radio doméstica, que se podía armar comprando los componentes y que el abuelo Francisco había pergeñado para que se entretuviera el enfermo.

Mientras otros obreros y artesanos llevaban a sus hijos al taller para que comenzaran a adquirir, desde temprano, los rudimentos del oficio, mi tío Adolfo no aprendió oficio ninguno. Doña Julia temía como a la peste las nubes de polvo de lija, el olor aceitoso de los óleos, la mordedura de la trementina y los solventes, las emanaciones pegajosas de la cera y los barnices. Por lo demás, guardaba secretamente aspiraciones más altas para el único varón que había engendrado.

A pesar de la común opinión de sus primos segundos (los hijos de un veterinario de Viñuelas, primo a su vez de doña Julia), y de sus primos hermanos (Alfredito y Milagros, hijos del tío Alfredo), que lo habían declarado nulo de nulidad absoluta para las prácticas y saberes más comunes de la vida ordinaria, mi abuela Julia conservaba intacta, en su centro vulnerable y blando como la masa cruda, una ciega fe en los talentos de su hijo Adolfo que, más tarde o más temprano, serían reconocidos por los incrédulos.

Familiarizado con la buena música, por distorsionada que ésta le llegase, en sus largos períodos de invalidez asmática, Adolfo mostró tener memoria fina para recordarla, y algunas dotes para la interpretación. En una de las meriendas mensuales en casa de la francesa, tanto la anfitriona como la visitante se sorprendieron al oír que salía del piano de cola, algo vacilante, pero reconocible, la melodía de la *Marcha turca*. Descubrir a su hijo sentado al piano como un pequeño Mozart —aunque en nada se le parecía ese niño moreno y lacio, más bien escuálido y de tez verde mate— fue acaso una de las emociones más felices en la vida de mi abuela. Quedaba así asentado y comprobado que a su hijo no sólo no le faltaba nada, sino que más bien le sobraba aquello de que carecían otros. Sólo la envidia y la insensibilidad de los niños presuntamente normales (todos ellos unos brutos) y de sus padres incomprensivos, podían explicar el desdén tácito o expreso que manifestaban por Adolfo.

Inscribió a su hijo en el Conservatorio. El taller de decoración del abuelo Francisco y sus trabajos mal cobrados no daban para un piano decoroso, ni siquiera vertical. Pero Adolfo fue autorizado a practicar en casa de la francesa. Estudió sin interrupciones y con aceptable provecho hasta que llegó la guerra. Cuando finalizó la década del treinta, ya tenía diecinueve años, y había perdido un padre. También el asma, la virginidad, la timidez, el interés por la música clásica y la esperanza en la condición humana o por lo menos en la condición de su país, que le parecía el más bárbaro del planeta.

Otras melodías, otros aires, ocupaban ya para entonces las fantasías de Adolfo. Fred Astaire y Ginger Rogers, Edith Piaf, Louis Armstrong, Duke Ellington, se convirtieron en las nuevas estrellas de un cielo del que recién habían terminado de caer los obuses. A partir de entonces, probablemente, comenzaron a madurar los que se volverían objetivos centrales de su existencia: uno logrado —salir de España— y otro siempre diferido que resultó imposible: devenir ciudadano del nuevo imperio que había arrebatado la isla donde murió su abuelo.

El tío Adolfo no dejó herencias. No tuvo dinero que le durase ni casa propia ni contacto con otra tierra que no fuese la que se le había quedado adherida a los zapatos en su vida trashumante de gitano señorito.

Y ni aun así, porque en los zapatos del tío Adolfo no descansaba el polvo.

No era un calzado cualquiera, sino zapatos de *tap*, con chapitas que sonaban como castañuelas. No estaba destinado a persistir pesada y linealmente sobre el suelo, sino a lustrar con saltos y piruetas las superficies opacas de tablados y escenarios.

Había empezado su nueva carrera artística como *boy* de la vedette Celia Gámez. Mi abuelo ya no vivía para verlo: el cigarrillo, y según se dijo, la tuberculosis asociada al hambre del sitio de Madrid, le habían dado de baja los pulmones en un hospital bombardeado. Doña Julia, por lo tanto, tuvo que afrontar sola ese abandono de la respetabilidad académica y de la orquesta clásica. Algo tenía de positivo. El niño introvertido y pálido traspasado como un insecto de colección por la mirada agresiva de los otros; el adolescente desgarbado y deslucido como un traje vacío y sin planchar, se había transformado en un bailarín seguro de sí mismo capaz de hacer girar en el aire a la repatriada estrella, hija de malagueños, pero nacida en Buenos Aires.

En la sala devastada que era España, cubierta de escombros bajo los que se pudría un millón de cadáveres, la voz de la Gámez, que nada podía hacer por ellos, resucitaba al menos a los vivos. La resurrección no duraba mucho —apenas el tiempo suspendido y mágico de cada función—. Después todos volvían a su alvéolo de la colmena, y el tío Adolfo soñaba con cruces oceánicos que reemplazaran el sórdido casillero de su colmenar madrileño por desmesurados pisos neoyorquinos en versión hollywoodense, con vista a la estatua de la Libertad.

"Tú nunca has tenido vergüenza ni escrúpulos", le diría mi padre, en uno de los peores y más explícitos episodios de la Guerra Civil soterrada que se siguió celebrando durante años, sin prisa y sin pausa, en la casa de Buenos Aires. "Ya empezaste trabajando para esa mujer, que fue primero amante del Borbón y luego de Millán Astray, con tal de encumbrarse. Eso es reírse de los muertos, bailar sobre las tumbas que ni siquiera han tenido". "Bailar siempre ha sido mejor que llorar, cuñado. Y comer, mejor que ayunar. En cuanto a tumbas, ni a unos ni a otros les han hecho falta. Ancha es España. En todo caso, para compensar el déficit de sepulturas se hizo el Valle de los Caídos."

Quizá nunca los puños de mi padre llegaron más cerca de la cabeza —según él, presumiblemente hueca— del tío Adolfo. Pero mi madre y mi abuela también estaban presentes y la escena posible se congeló y se detuvo y luego volvió atrás, como la cinta de un *film* pasada del revés.

El lado católico y conservador de la familia también estaba lejos de aprobar (aunque por otras razones) los medios de vida de Adolfo, que había abjurado del género sublime para consagrarse al culto de "Nuestra Señora de los Buenos Muslos", como llamaban a la Gámez sus admiradores de los cafetines de Madrid. La reprobación alcanzó el colmo en el año cuarenta y cuatro, cuando aquella Madonna desfachatada se casó con un médico en la Basílica de los Jerónimos, siguiendo las más puras reglas del vodevil. El padrino de la novia era nada menos que el mentado general Millán Astray, el más notorio de todos sus amantes.

De todas maneras, no estaba en los planes de mi tío seguir vinculado con ella mucho tiempo más. Formó con un amigo, el Tony, un dúo de zapateo americano, al que empezaron a agregarle algunas innovaciones, como los juegos de malabares. La sociedad no duró demasiado, pero el tío Adolfo había concebido ya su futuro estilo, y el número de entretenimiento que finalmente lo llevaría por todo el planeta, en cuanto consiguiera dar el salto a las Américas. La oportunidad llegó de la mano de la desesperación de doña Ana. Ninguno de sus amores había logrado reemplazar al primo Pepe. Ninguno la había querido con la misma sencilla y apasionada entrega. Pasado el umbral de los treinta años y sin haber sido corista ni tonadillera y ni siquiera francesa, estaba casi como había estado a su edad doña Margarita: cortejada por un hombre mal casado y con dinero, pero no tanto como don Fernando, que ofrecía ponerle una casa en Tánger.

Doña Julia nunca supo esto claramente, pero lo presentía. Fue la primera en bregar para emprender el camino de la huida o de la salvación hacia Buenos Aires, con tal de librar a su hija de la caída en el concubinato. Allí tenían un pariente: el tío Ignacio, único de los hermanos que había decidido remediar en América la pobreza legada por el capitán andaluz.

Fue entonces cuando Adolfo hizo un aporte decisivo a la constitución de una nueva familia. Gracias a él, encontró su hermana al que sería su futuro marido y mi padre. Lo había conocido en uno de los cafés de la Avenida de Mayo donde se reunían artistas y emigrados y exiliados, y donde ambos descubrieron, sorprendidos, que habían viajado sin saberlo en el mismo barco, aunque separados, como en una telenovela, por la diferencia de clases. Doña Ana y su madre habían invertido todos sus ahorros y la venta de los muebles en un viaje de primera. Antón había preferido reservar lo poco rescatado de sus despilfarros para los tiempos iniciales en Buenos Aires. Nunca entendí por qué los hijos de doña Julia habían elegido despedirse de España con ese gesto ostentoso, y por qué mi abuela lo había permitido y quizás, alentado. ¿Era despecho y deseo de quemar las naves, era jugar la última carta, con la esperanza de que Ana, la bella, encontrase en aquella teatral confraternidad de la clase VIP, al millonario sudamericano que merecían su hermosura y su falta de dinero? Lo cierto es que después de ese viaje, donde se codeó con señoritas superficiales y doradas como burbujas de champán y con jailaifes de sonrisa gardeliana, doña Ana, fanática lectora de William Somerset Maugham, decidió probablemente imitar a la heroína de *El velo pintado*. Abandonaría toda frivolidad y toda estrategia de salvación económica por vía del matrimonio. No se volvería monja, pero haría profesión de modestia y despojo, y se avendría a compartir los restos de su vida con un hombre digno y humilde, si es que se presentaba.

A mi tío Adolfo no le importaba, en cambio, convertirse en el béguin o el *fancy love* de unos días oceánicos para alguna de esas señoritas burbujeantes que lo incorporaría luego a su propia colección de aventuras divertidas e inconfesables. Lejos de hacer, como su hermana, votos de renuncia, percibió claramente la atmósfera nutricia de su vida en ese mundo inconsistente y espumoso que subía y bajaba con las cotizaciones de la Bolsa y los precios de las vacas y el trigo en el mercado de Chicago.

La entrada de la familia en Buenos Aires confirmó las expectativas sobre América y también, en parte, los hiperbólicos clichés que constituían entonces el imaginario popular de la España famélica sobre la Argentina. Eran los años del primer peronismo, cuyos esplendores había anticipado Eva Duarte en su visita del año anterior. Mi abuela, horrorizada, pronto descubrió que en los tachos de basura no sólo había desperdicios sino pan fresco. Decían que los obreros peronistas, ya hartos de carne, lo utilizaban a manera de servilleta para limpiarse la boca. Ese sacrilegio, junto a la quema de pisos de parqué nuevos para hacer leña, pasaría a integrar el repertorio de inconcebibles extravagancias atribuidas (por mi abuela y por toda la clase media argentina) a esas gentes inocentes y bárbaras que no habían pasado por la atroz escuela de mortificación moral y economía doméstica proporcionada por la guerra de España.

El tío Adolfo no encontró el amor en la nueva tierra, aunque sí decidió en ella su breve y disparatado matrimonio. Y también dio con la que sería su compañera artística por el resto de su vida. Nadia: una muchacha de padres rusos, alta, robusta y magnífica, envuelta por lo común en una malla de lentejuelas, que iluminaba el escenario como un intermitente cartel de neón. Con el nombre *The Holmes*, adecuado a las ambiciones anglófonas del tío Adolfo, iniciaron algunas actuaciones circenses. Mi tío, aficionado a las novelas de detectives, no sólo había tomado del maestro Holmes su nombre profesional, sino algunas prácticas mágico-policiales, consistentes en la búsqueda y hallazgo de objetos que previamente se hacían desaparecer.

El estilo de los Holmes, que además bailaban, cantaban y zapateaban, que hacían música en miniatura con castañuelas que sonaban entre las yemas de los dedos, o con una armónica poco más grande que una pastilla y que mi tío soplaba por dentro de la boca, gustó a un agente norteamericano que los vendió, por fin, al paraíso. Cuando concluía la década del cincuenta, en la Argentina habían caído cruelmente los sueños del peronismo, pero los de Adolfo comenzaban a realizarse. Empezamos a recibir postales en sobres con estampillas desconocidas que olían a raro y a nuevo. El Carnegie Hall, el Teatro Chino, la Quinta Avenida, el Empire State, las carteleras de Broadway, las calles de Brooklyn, se sucedían en un álbum donde doña Julia depositaba con cuidado cada imagen tras un papel de celofán, para enseñárselas a las visitas.

Quizá por la misma época Paco, uno de mis primos paternos, recién llegado de la aldea, desembarcaba en el puerto de Nueva York. Luego volvería a Barbanza cargado de edificios que no le cabían en los ojos y deslumbrado por luces cuyo parpadeo seguía iluminándole la retina cuando estaba dormido. "*Ti non sabes, muller, o que foi iso... ¿Imaxínasche?* Pasar de las cuatro casitas de Comoxo a las avenidas de rascacielos, meterme en los laberintos del Metro, mirar el Chrysler, cuando apenas si conocía la Torre de Hércules, que por esa época estaba hecha una ruina". Acaso entonces, al admirar tantas y tan altas maravillas, se despertó en Pacucho la vocación de constructor, a la que se dedicó con éxito notorio después de retirarse de la Marina mercante. A lo mejor, incluso, en una de esas primeras incursiones por el centro del imperio americano, el mismo Paco tuvo oportunidad de aplaudir a los Holmes cuando actuaban en alguno de los cabarets de una ciudad no menos babélica que Buenos Aires.

Aquéllos fueron, para el tío Adolfo, años de esplendor.

Entre sus gozos se incluyó la venganza. Volvió, en alguno de sus viajes, a la España de la eterna posguerra, tan mísera que era considerado rico aquel que no necesitaba poner llave a la despensa donde se guardaba el pan. Tan atrasada, que ver salir normalmente el agua por los grifos parecía un milagro. No pudo resarcirse de los viejos desdenes en la persona del primo Alfredo porque éste, ya casado y recibido de contador, trabajaba con su mujer en las colonias del África. Pero visitó al hermano de doña Julia, padre de Alfredo y Ángeles, exhibió billeteras del mejor cuero argentino por donde asomaban los dólares y llevó de regalo pistolas de juguete para los niños, muñecas platinadas para las niñas y para los adultos cartones de cigarrillos, pequeñas radios a transistores y whisky auténtico. El tío Alfredo, precipitado ya en la vejez y casi en la chochera, suspiraba, admirado y envidioso. De qué valía quedarse en España, la siempre ingrata, que retribuía mal a sus hijos dilectos. Para qué deslomarse por un título en las universidades rancias de inmóviles ciudades cuando en la cuna del Progreso y de la Técnica un cómico de la legua ganaba mucho más que cualquier titulado en España, si sabía mover las piernas y arrojar al aire clavas que parecían botellitas pintadas. Las cartas de don Alfredo llegaron al Norte del África, y aquellas letras torcidas por el pulso incierto y la mala vista envenenaron de amargura y derrota las limonadas con hielo con las que Alfredo hijo y su mujer, también contadora, intentaban calmar en vano una sed infinita.

Pero Adolfo se ufanaba prematuramente. Poco versado en la sabiduría proverbial y menos aún en la de Medio Oriente, no tuvo en cuenta la sentencia que aconseja al sabio sentarse a la puerta de su casa para ver pasar el cadáver de su enemigo.

Esos años de gloria lo devolvieron varias veces a Buenos Aires. El primero de los retornos fue sin aviso, un atardecer de verano que se prolongaba con el tedio y la melancolía difusa que exuda la tierra seca recién regada. Mi madre y mi abuela lloraron, incrédulas. Las valijas no acababan de vaciarse, mientras la habitación del centro de la casa donde el tío quedaría instalado, se iba llenando con ropas de teatro, pilas de partituras, sombreros tejanos y mexicanos, guantes y galeras de mago, cajas de naipes trucados, baúles de doble fondo, zapatos de charol, bastones, malabares, armónicas de todos los tamaños, saxofones, una guitarra española y dos balalaikas. El olor de las telas y de los envoltorios sintéticos saturaba el ambiente cerrado de ese cuarto de noctámbulo que sólo se abría a las dos o tres de la tarde cuando el tío Adolfo, en bata y chinelas de raso, salía hacia el baño con el cepillo, la pasta de dientes y un paquete de grajeas especiales, compradas sin duda en el extranjero, para refrescar el aliento.

De aquel tiempo quedan fotos felices, tomadas en el patio. Doña Ana tiene un vestido estampado de margaritas que hacen juego con las margaritas reales del jardín. Mi padre y mi tío llevan camisas hawaianas y sombreros de cowboy. Lucen espantosamente ridículos y lo saben. Se ríen mirando a la cámara mientras brindan con cerveza helada. Las gotitas que trasuda la botella humedecen todavía hoy los dedos que rozan la superficie lustrosa de la foto. Mi madre reina en la casa nueva, puro estilo americano, de un país nuevo. Adolfo ha dejado de ser un niño bobo y opaco. Ahora es un adulto bobo y brillante que ha triunfado en el extranjero con el idioma de la música, aunque tritura el inglés y el francés con un feroz acento ibérico. Mi padre es el constructor y dueño de esa casa y cree, a veces –lo cree, seguramente, en esa foto–, que también es el dueño del amor de doña Ana.

De aquel primer viaje, el tío Adolfo me trajo la muñeca más grande que tuve nunca. Llegaba casi a la mitad de mi tamaño y estaba vestida de *cow-girl*, con sombrero flexible, altas botas, e incluso una cartuchera donde guardaba una pistola minúscula. No era platinada y lánguida, sino rubia dorada, con el pelo corto. Gracias a algunas telas del fondo del baúl, fue también reina pirata, odalisca y dama con miriñaque. Ejercía la vida autónoma de una actriz capaz de elegir sus personajes.

No fue éste, sin embargo, el mejor regalo que recibí de mi tío. Lo más precioso que me dio ni siquiera fue un regalo sino un préstamo, una especie de *leasing* a largo plazo. Unos días antes de volver al país de la muñeca, me llevó de la mano hasta un armario de buena madera, con cortinas rojas, que estaba desde siempre en el cuarto de planchar y que no me habían permitido abrir.

"Oye, ya has cumplido los ocho años, así que eres mayor. De ahora en más, serás tú la que tenga la llave de mi biblioteca".

Allí estaban todos los piratas, los brujos y los reyes, las aventuras, las traiciones y las lealtades, los países desconocidos ocultos en el mapa de lo obvio, los mundos olvidados que están dentro de éste. Phineas Phogg y El Tigre de Mompracem, Long John Silver y el último de los mohicanos, D'Artagnan y Ayesha, Milady y la reina de los Caribes, Tarzán y Jane. Entré en esas historias como quien entra en un planeta de hongos alucinógenos. El cerebro no se me secó del poco dormir y del mucho leer, antes bien tomó temperatura y humedad de jungla, donde animales fabulosos y guerreros nómades merodeaban a la sombra de los baobabs. Nunca salí del todo de ese planeta, aunque tuve que devolver los libros muchos años más tarde, cuando el tío Adolfo, fané y descangayado, volvió definitivamente de todos sus viajes y se recluyó en otro suburbio de Buenos Aires donde dio su espíritu, quiero decir que se murió, sin haber manifestado nunca señas de recobrar la razón que la mayoría de sus familiares juzgaban perdida.

Las tumbas del tío Adolfo

El tío Adolfo representó durante toda su vida el papel de cigarra en la célebre fábula de la cigarra y la hormiga.

¿Era consciente de esa representación? ¿No conocía el amargo final que le tocaba a su personaje en aquella narración tan aleccionadora? ¿Pensaba que él iba a ser una excepción a la regla o aceptaba de buen grado ese papel y sus consecuencias y había decidido pagar el precio que costase?

¿Quizá daba por descontado un éxito descomunal, que le permitiría pasar los últimos años de su vida sentado sobre sus millones?

Lo que tampoco estaba claro, en principio, era que el tío Adolfo fuese, realmente, una cigarra. Mi abuela lo negaba, terminante y empecinada, y Ana también, aunque en sordina y casi a regañadientes, cuando doña Julia incrementaba la presión sobre el torniquete de su afecto fraterno. ¿No había estudiado Adolfo música clásica durante años, sometido a la exigente disciplina del Conservatorio? ¿No había mortificado luego los oídos de todos los vecinos del piso de abajo, en Madrid, durante sus monótonas sesiones de *tap dance*, ensayadas o machacadas casi literalmente sobre las cabezas del prójimo? ¿No había aprendido a tocar los más variados instrumentos? ¿No hacía arreglos de todo tipo de partituras y lidiaba con los jeroglíficos de los pentagramas, que parecían inscripciones en una tumba egipcia?

Quizás el más interesado en presentarse a sí mismo como una cigarra era el propio Adolfo, que no tenía reparos en mostrar a cualquiera, pero sobre todo a sus parientes, sus manos de marqués rubendariano, sin un callo, manicuradas y pulidas, donde se adivinaba incluso el oblicuo brillo de una laca transparente sobre las uñas.

Con sus frases imprudentes, que serían recordadas durante años por quienes las habían escuchado, el tío Adolfo se cavó dos tumbas: una en el ancho living de un piso madrileño, y otra en el jardín de las afueras de Buenos Aires donde trabajosamente florecía un castaño.

Tuvo tres inexorables sepultureros: el primo Alfredo, su mujer, y yo.

Ellos se vengaban a sí mismos. Yo vengaba a mi padre.

La tumba del piso madrileño se había abierto un domingo de invierno, mediada la década del sesenta. La del jardín de Buenos Aires, apenas algo más tarde, un sábado de primavera.

Según me relató, veinticinco años después, el primo Alfredo, mi tío se había repantigado en el sillón de cuero donde Alfredo se dedicaba, siempre que podía, a la lectura nocturna. "Es como si lo viese ahora. Nosotros estábamos casi recién llegados del África. Nos habían asignado buenos puestos en Madrid, teníamos unos ahorros. Habíamos saldado la hipoteca del piso y empezábamos a disfrutar de cierta abundancia, así que para no quedar como un paleto con ese hombre de mundo, le ofrecí varias bebidas que había en el barcito, incluso un whisky americano. Pues figúrate que dudó un buen rato, mientras lo miraba todo casi con asco, y al final eligió el whisky que era —por americano, según dijo— lo único que se podía tomar... Y allí se estuvo, dándole vueltas al vaso con sus trocitos de hielo mientras, como siempre, contaba sus viajes, hasta que la soltó. Sí, sí. Soltó su frase consagratoria. La que lo pinta a él y a su vida, de cuerpo entero. Nos miró fijo, a mí y a mi mujer, y dijo, como quien no quiere la cosa, '¿Pues sabéis? Si algo me ha dado siempre lástima son esas pobres gentes esclavas de la rutina, ésas que cumplen todos los días sus ocho horas de despacho, detrás de un escritorio, sin más horizonte que una persiana rota y unos techos sucios.'"

¿Se daría cuenta entonces el tío Adolfo de la magnitud de aquello que terminaba de proferir? No había música ambiental en la habitación, y a su frase célebre le siguió sólo el silencio demoledor que, según es fama, sucede a las catástrofes. Angelita, la mujer de Alfredo, reuniendo los trozos de su dignidad bombardeada, decidió romperlo.

—Pues mira: eso mismo, trabajar todos los días ocho horas detrás de un escritorio, es lo que hemos hecho siempre tu primo y yo. Y no es horizonte sólo lo que uno ve por la ventana, ni lo que se ve es lo único que importa.

La tumba que se había abierto en ese instante a los pies de Adolfo no se veía tampoco, pero estaba ahí, indeleble. Al tío Adolfo se le puso una lápida que fue un cerrojo en la entrada. De ahí en más, no se lo invitó nunca a comer ni a dormir en aquel piso. A lo sumo, y en horas convenientemente alejadas de cenas y almuerzos, se le obsequió un buen vaso del mejor *bourbon* de Norteamérica.

La otra tumba tuvo los mismos efectos, que sólo se hicieron notar en plenitud cuando ni doña Julia, ni mi madre ni mi padre estaban ya vivos, y sólo a mí y a mi marido nos tocaba decidir quién era merecedor o no de la hospitalidad doméstica.

¿Imaginaba el tío Adolfo que esa decisión había sido tomada irrevocablemente mucho tiempo antes, por una muchachita que acababa de entrar a la adolescencia? ¿Entendería que ni siquiera el préstamo y usufructo de la biblioteca que había hecho en mi favor podían otorgarle una amnistía compensatoria?

En esos meses, mi padre había emprendido su última reforma de ampliación de la casa: un jardín de invierno, sobre lo que antes era el patio, que iba a convertirse en el pulmón de la vivienda y en su espacio más atractivo. Todo se hacía con el dinero justo y mucho trabajo personal. Mi padre mismo acarreaba desde la calle ladrillos y bolsas de arena o cemento, antes de su jornada diaria de trabajo y durante los fines de semana. Aquello había sido siempre así, desde que Antón consiguió por un precio acomodado el terreno donde se erigió la casa.

En esos meses, también, el tío Adolfo disfrutaba en ella de sus largos períodos de hotelería gratuita. Era el último en levantarse y en acostarse. Durante mi infancia, el cuarto del medio, en la planta alta, le estaba siempre reservado para la vuelta de sus viajes. Años después, cuando ese cuarto fue mío, me tocaba desocuparlo en cada una de sus visitas. Mi tío padecía múltiples dolencias, todas ellas de algún modo costosas. El estómago caído y la delgadez ameritaban que el lechero añadiese al servicio cotidiano uno o dos potes de crema recién batida. Una falta permanente de vitaminas y energizantes se compensaba con frascos de gran formato llenos de grageas que parecían confites y que mi tío tragaba como si en verdad lo fueran, con fruición, desaprensivamente. Al menos ésas las conseguía él mismo; se las mandaban, por encomienda, unos amigos estadounidenses. El lumbago y las afecciones de la vista (amén de otras menores, biliares y vesiculares) eran el plato fuerte de su historia clínica. Ambas cosas fundamentaban sus estadías indefinidas. ¿Dudaban sus parientes del poder incapacitante de tales enfermedades? No en lo básico, pero lo consideraban por completo insuficiente para explicar que durante meses enteros, y hasta durante años, el tío Adolfo los esgrimiese como pretextos de una inactividad que se había hecho hábito, aunque sus males no le impedían, por otra parte, las salidas al café ni los juegos de cartas con los amigos, siempre parapetado, para cuidar los ojos, detrás de un par de gafas oscuras.

Ese sábado no hubo ni siquiera pretextos. El tío Adolfo no se molestó en referirse a su iritis o su retinitis cuando vio avanzar a mi padre por la cochera pasante, cargando al hombro una bolsa de cemento.

Se miró las manos de presunto marqués, que sabían, empero, algunas cosas nada desdeñables como tocar el piano, o desconcertar la vista y quitar el aliento con los juegos de malabares.

—Pues es verdad que Antonio tiene mucho mérito. Siempre ha sido un muchacho muy emprendedor. Pero yo, sobrina —y me hizo un guiño cómplice—, no he nacido para trabajar, naturalmente.

No hubo complicidad entonces y no la habría nunca.

En un silencio similar al que había congelado el piso madrileño del primo Alfredo, se abrió entonces una fractura irreparable entre mi tío y yo. Por ella, en pleno día y sin pompas fúnebres, no se escurrió un cadáver, sino un vivo. Allí lo sepulté (aunque aún no sabía que así lo había hecho) hasta el día en que verdaderamente falleció y hubo que pagarle su entierro, porque no tenía ni un cajón donde caerse muerto.

Nadia y Candela

Después de haberse cavado, sin saberlo, sus dos tumbas: una española y otra sudamericana, el tío Adolfo retornó a sus viajes con impulso acrecido. A pesar de haber aceptado y hasta celebrado públicamente su condición de cigarra, aun él era consciente de que los años transcurrían sin aportarle familia ni casa propia ni ahorros para sustentar una vejez que también sería reumática, ya que así lo había sido su juventud.

Tomó entonces dos medidas trascendentales.

Se empleó como artista de varieté, siempre con Nadia, en transatlánticos y cruceros que le conseguía su agente norteamericano, el señor Bramson.

Se casó por segunda vez cuando ya estaba bordeando el medio siglo, con Candela, una cantante caribeña de familia cubana, veinte años más joven.

Su matrimonio estuvo signado desde el comienzo por la oposición tormentosa. Ante todo, la franca y explícita de la familia de su novia, que vivía de lo que ella ganaba y no estaba dispuesta a aceptar que se la llevase un español maduro y sin un céntimo y, para colmo, divorciado por México, ya que la ley argentina no lo permitía. Pero también hubo otra oposición tácita, sorda, y sobre todo, inesperada. La de Nadia, una pareja artística que sólo años atrás, y muy fugazmente, había sido también pareja amorosa.

¿Por qué, a pesar de su belleza, de su carácter enérgico, y de algunos pretendientes burgueses que se le habían cruzado en el verano de la vida, prefería Nadia continuar su camino de transeúnte planetaria con un hombre que ya no era su amante, ni sería su esposo, y que tampoco le había abierto las puertas de la fortuna ni de la gloria? Y si aún quería seguir con él, por amor al trabajo, ¿por qué no abandonárselo pacíficamente a Candela, y que fuera ésta quien aguantase sus manías hipocondríacas, la que se ocupase de su ropa, de sus zapatos y del orden de sus partituras?

Despechada, sin embargo, se amuralló en el mutismo y el fastidio. Cumplió de mala gana el resto de su contrato en el crucero, donde el tío Adolfo había conseguido empleo también para su novia. Volvieron ambas con él a la Argentina.

Nadia anunció que quizá se retiraría de la escena definitivamente y que se consagraría por un tiempo al cuidado de su madre. Mi tío se aplicó a la tarea de hacer feliz a la suya con esa nuera tardía, pero sus buenas intenciones tuvieron éxito escaso. Mi abuela, aunque jamás había desaprobado ni desaprobaría en público una decisión de su hijo, no había abandonado la secreta esperanza de que se casase con Nadia. Adolfo, bien lo sabía ella, merecía ser cuidado por una mujer inamovible e incondicional como una madre: una fortaleza que lo protegiese en las horas de adversidad, cuando él, siempre niño bajo sus canas teñidas, ya no pudiese jugar al escondite en los hoteles y pensiones del ancho mundo, ni saltar a la rayuela cruzando continentes.

Nadia, más alta que mi tío si se ponía tacos, había engrosado con los años lo bastante para convertirse en una estatua de Cibeles con solidez de piedra y blandura de regazo, capaz de interponer un cuerpo abrigado como un manto de pieles entre su hijo y los otros que lo envidiaban y lo zaherían. Y acaso, aun entre su hijo y la Muerte. Sacrificando lo poético a lo útil, ella no le arrojaría por el balcón una cuerda de seda para salvarlo de la Fatalidad, sino una trenza de acero como las que sostienen el Puente de Brooklyn, seis veces más resistente de lo necesario.

Las criaturas más insignificantes tienen, a veces, efectos tan demoledores como un tanque de guerra. Cuando doña Julia vio a Candela, todas sus ilusiones de acero y de granito se desmoronaron, empujadas por el dedo meñique de su nuera reciente.

Candela no era, como correspondía, una mujer hecha y derecha. Apenas levantaba un poco más del suelo que la misma doña Julia, aunque eso no hubiera sido nada, mediando otro carácter. Es que Candela, para desgracia de su hijo, era una niña, más niña todavía que el niño Adolfo. La puerilidad comenzaba por su aspecto de pastorcita de caja de música, hecha para vestir eternamente faldas con miriñaque y llevar en la cintura un ramito de flores. Tenía las manos chicas y carnosas, marcadas por hoyuelos, un llanto fácil que le transformaba las pupilas verdeazules en un parpadeo de luces submarinas, y una voz de pajarito que sólo se expandía y se agravaba en el canto, y que acaso la había hecho merecedora de su sobrenombre artístico: "La alondra de los llanos" (de Venezuela).

Doña Julia había empezado a sospechar algo de esto cuando recibió las primeras cartas de la nuera que aún no conocía. Llegaron escritas en un papel adornado de arabescos y asperjado con gotitas de esencia de jazmín: un rasgo, según se mirase, de exacerbada femineidad o de cursilería, cuya definición precisa optó mi abuela por dejar en suspenso. La caligrafía grande, alta, redonda, formulaba un encabezamiento sorprendente: "Querida mamá Julia", seguido por no menos asombrosas y desbordantes expresiones de afecto. ¿Era propio ese estilo a la vez infantil y confianzudo, para dirigirse a una suegra anciana, ante quien no había sido presentada aún? Mi abuela se consoló pensando que quizá tales eran los modos familiares de la cortesía en tierras del Caribe.

Pero cuando Candela avanzó ante sus ojos, vaporosa y floral, con pasos parecidos a saltitos, cuando la oyó llorar inexplicablemente por las noches en el cuarto de al lado que ahora compartía con Adolfo, cuando comprobó que en materia de comidas era aún más caprichosa y melindrosa que su hijo, y que lo superaba en variedad y cantidad de dolencias (incluidos ahogos, desmayos, sofocos y taquicardias) se convenció de que mi tío había hecho un segundo matrimonio deplorable, peor aún, si cabía, que el primero. Si su mujer anterior era una puta, que evidentemente se había casado por poder con Adolfo sólo para salir de España, también había sido muy fácil y harto justificado librarse de ella. Cómo podría deshacerse, en cambio, de aquella a quien todos llamaban ya "Candelita", y que tenía una cualidad insuperable: la de mirar a su marido como a un ser supremo del que sólo cabía esperar toda clase de luces y de bienes.

Candela despertó en la familia una aprobación muy superior a la que gozaba mi tío.

Para el primo Alfredo y su mujer, que la conocieron en Madrid, era una pobre americana ingenua que había caído en las garras de un don Juan español pasado de viejo, y que no tendría reparos en hacerla trabajar para que lo mantuviese.

El tío Benito los hospedó una temporada en su casa de Comoxo. Si bien estimaba que Candela corría el riesgo de disolverse como una roseta de azúcar con tanto llanto nocturno, consideraba también que no era poco regalo para un hombre contar con una máquina de producir gorjeos como la que mi tío se había agenciado, además de sus dotes apreciables para la costura y el bordado de sus propios trajes de escena.

A uno y otro lado del océano asombró y encantó, casi como una atracción de feria, la capacidad de los agudos de Candelita para ponerse a tono con el cristal de las copas y hacerlas vibrar en apasionada consonancia hasta el borde de la ruptura.

Nadie confiaba mucho, en cambio, en la eficacia de mi tío para colocar esa voz exquisita y enjoyada de tiple ligera sobre el escenario que le correspondía.

El primo Alfredo sostenía que el registro y la coloratura de Candelita daban perfectamente para la zarzuela y la opereta (géneros en los que ella había incursionado también en su tierra nativa), y que con un buen maestro capaz de sacar los últimos brillos a esa garganta de cristal, y un representante astuto, su prima política estaría en condiciones de reclamar para sí los laureles abandonados, tiempo atrás, por la Pérez Carpio.

Mi padre no era tan auspicioso en cuanto a los méritos de Candelita, quizá por motivos extramusicales, pero opinaba que de todos modos, mientras el tío Adolfo siguiese manipulando la carrera de su mujer, ésta se desbarrancaría en la inanidad y la inconsecuencia, como la suya propia.

A mi tío no le interesaba la zarzuela, un género anticuado que, según él, pronto desaparecería, desplazado por la pantalla grande y chica. Quiso colocar a su esposa en shows televisivos y promocionarla en los espectáculos de la capital, pero no consiguió gran cosa, fuera de alguna gira por provincias. Su meta, de todos modos, no era España. El tío Adolfo pensaba en volver a los barcos. No sólo porque allí podían ganar razonablemente bien sin gastar nada, sino porque el señor Bramson le había asegurado que después de unos cuantos viajes en cruceros de firmas estadounidenses sería mucho más fácil obtener trabajo para ambos en el continente y luego la carta de ciudadanía y que él les proporcionaría todos los contactos.

Mi tío deseaba fijar residencia definitiva en Florida (Miami, si era posible). Allí actuarían para un público latino cada vez más numeroso, levantarían el dinero a espuertas, y comprarían un piso con vistas a la playa. Nueva York había estado bien para los años ambiciosos de la juventud; ahora Adolfo pensaba en otra vida. Por las tardes, antes de las actuaciones, se sentaría con su mujer en una terraza de café para mirar el mar. Estaría vestido de blanco, de la cabeza a los pies, con una chaqueta de hilo. Un conocido cirujano plástico lo había redimido en uno de sus viajes de la nariz larga y aguileña —herencia de la abuela Julia—, a la que seguía encadenado el primo Alfredo. Podría, entonces, girar la cabeza libremente hacia las olas y permitir que Candela y algunas otras señoras, quizá ricas, admirasen ese perfil por fin perfecto. Luego fumaría, sobre los restos del café, sus dos o tres cigarrillos de la jornada. Todo sería casi como en una novela de Scott Fitzgerald, aunque hubieran pasado los *roaring twenties* y aunque no estuviesen en la Costa Oeste. Pero primero esperaría, claro, a la muerte de su madre. Doña Julia no dejaba de ilusionarse con la idea de que su hijo terminaría instalándose cerca de ella, en un chalet con un perro guardián y un pino que podría engalanar en las Navidades. Acaso, si Candelita se normalizaba y dejaba de parecer ella misma una niña, también tendría un nieto de ese hijo que todo lo hacía siempre un poco más tarde o en otro sitio que el resto de la especie.

Candela, ignorante de los sueños de su suegra, y también de las fantasías galantes de su marido, lo acompañaba en sus aspiraciones de mudanza al país de los yanquis. Es que ella era, por legado familiar, una "gusana". Su padre, un anticastrista con menos visión o menos suerte, no había recalado en

Miami sino en Venezuela. Una opción absurda, decía siempre la madre de Candela. Después de todo, el Caribe, sus comidas y hasta sus habitantes, podían encontrarse igual en la otra costa del Norte, del lado de los gringos.

Mi padre, por respeto a la hospitalidad que había vuelto a brindarles, o por pensar, acaso, que los gorjeos de alondra de su concuñada provenían de un cerebro cuya contextura era también ornitológica, renunció a discutir de política con ella durante sus visitas. Hubiera sido en vano, ya que, como se sabe, no existen otros paraísos que los paraísos perdidos, o más patria que la de la infancia, y Candelita no estaba dispuesta a renunciar a esos bienes virtuales.

Los años de los barcos no fueron malos para ellos. Durante un tiempo, Nadia volvió a acompañarlos, después de haberse hecho también una cirugía estética para no parecer tan vieja al lado de Candela, hasta que ancló ya sin retorno en la Argentina y compró una casita con árboles frutales en las afueras de Moreno.

Las nuevas fotos de mi tío y su mujer los mostraban satisfechos y relativamente gordos. La cara menuda y blanca de Candelita se había redondeado más de lo necesario. Con los ojos graciosamente oblicuos, alargados con delineador, el largo traje de escena color salmón y el peinado en alto, inflado por el *spray* y traspasado por horquillas de estrás, parecía un Buda indio de rodete cruzado por pinches de cabello. Se había acostumbrado al halago fácil de un público en vacaciones, sin otra pretensión que la de divertirse. Sus agudos seguían atentando contra la integridad de las copas. Lo que ofrecía era, en definitiva, siempre suficiente y a veces casi excesivo para esos *tours* de jubilados con dinero, o de amantes en plena luna de miel.

Las taquicardias, los sofocos, los accesos de llanto, habían cesado, según lo que la misma Nadia estaba dispuesta a reconocer. Sólo una pena la aquejaba a veces. Niña o no, Candelita se acercaba a los cuarenta años y quería ser madre. Mi tío, que nunca había pensado en otra cosa que en ser hijo, intentaba quitarle esa idea de la cabeza. Cómo iban a tener un niño, si vivían embarcados. Los niños necesitan una casa, una escuela, parques, compañeros de juegos. No podían irse ahora de la jaula de oro en la que voluntariamente se habían metido, y que por lo tanto no era jaula. Hubiera sido insensato negar su utilidad como fuente del único dinero que valía, de un primaveral y siempre floreciente color verde. Candela se refugió en las manualidades, y ya que no podía acunar bebés llenó el camarote con los muñequitos que ella misma fabricaba en los tantos ratos libres, para que jugasen sus hijos improbables.

Cuando murió doña Julia, Adolfo seguía en los barcos. El golpe de la noticia debió de llegarle en ondas, lento y amortiguado por el rumor de las máquinas que cortaban con movimiento imperceptible la gelatina del Océano. Pero cuando lo alcanzó por fin, le dio de lleno en el pecho como quien golpea un gong, anunciándole en medio de la noche, sobre la litera de su camarote, que estaba libre. Que ya no le haría falta mentir piadosamente sobre su futura instalación en la Argentina, que podía irse donde quisiera y cuando lo quisiera, sin atadura alguna, porque todos los puntos de la esfera terrestre (el tío Adolfo no creía en la patria de la infancia) tenían ya para él idéntico valor. Le faltó el aire, entonces, como si en el pequeño camarote, casi del tamaño de una cama o de un ataúd, funcionara la succión de los envases al vacío. Salió a cubierta, espantado, cuidando de no despertar a Candelita, y se vio navegar bajo las estrellas como si navegara en el tiempo suspendido de la eternidad. Inspiró hasta llenarse los pulmones de oxígeno y de espuma y luego gritó, allí donde el fragor de los motores era más fuerte. Lo que gritaba no tenía palabras y era más bien un llanto, como si estuviera naciendo.

¿La venganza de las hormigas?

Mi tío Adolfo terminó como se merecía, dijo el primo Alfredo.

Sin un centavo, sin casa propia, condenado a vivir de préstamo en una quinta del Oeste de Buenos Aires, destartalada y sucia, invadida por dieciocho gatos, tres perros (uno de ellos tullido y sin un ojo), sin más público que una jaula descomunal llena de pajarracos y un loro con psitacosis, y sin otro entretenimiento que un viejo aparato de TV y una biblioteca, aún más vieja, de sus épocas de niño bobo, llena de libros de aventuras.

Lo único lamentable de eso, remataba Alfredo (y Angelita, su mujer, condescendía a medias con un gruñido de dudosa interpretación) era que en ese mísero destino hubiese arrastrado también a una víctima inocente: Candelita.

¿Mi tío Adolfo terminó como se merecía?

Se mantuvo casi sin trabajar y con aceptable salud de hipocondríaco los últimos treinta años de su vida. Siguió una dieta austera de maestro yogui o de campesino búlgaro, acompañada por kilos y kilos de suplementos vitamínicos enviados gratuitamente por sus amigos y parientes de varios países, incluso y en especial, por el primo Alfredo. No pagó impuestos ni lo preocupó que el Estado o los bancos estafadores pudieran confiscarle sus inexistentes ahorros. Disfrutó como san Francisco del entorno natural acompañado por las inocentes criaturas de Dios, nuestros hermanos y hermanas perros, gatos y aves del campo y de corral. Releyó borgeanamente sus clásicos selectos sin estar expuesto al vértigo de la contemporaneidad ni a las tentaciones del consumo. Renunció a la codicia de bienes materiales y al afán de gloria que intoxican el hígado de envidia por el éxito ajeno, estallan como un géiser en medio del cerebro, y ciegan y paralizan a su víctima, hemipléjica, derrotada y babosa, ya para siempre incapaz de competir por nada.

Y sobre todo, hasta el fin de sus días, mi tío Adolfo fue amado de muy distinta manera por dos mujeres, que rivalizaban para atenderlo.

No le resultó fácil llegar a su lamentable o envidiable final después de sus sueños de Miami. Pero esos mismos sueños fueron los que, paso a paso, lo condujeron a la ruina, o a la coronación, a un tiempo ascética y erótica, de su tránsito por la tierra.

La vida en los barcos no podía, claro, durar para siempre. Como todas las hembras —deploraba mi tío—, Candela había concebido una obsesión maniática por tener una casa. Unos años más de paciencia, y hubieran desembocado directamente en Miami. Gracias a los contactos de Mr. Bramson, una vez instalados, la ciudadanía hubiese sido apenas un trámite. Pero Candela se empeñó en salir de los cruceros de inmediato. Comenzaron de nuevo los mareos, los sofocos y los ahogos, ahora justificados por el avance de una menopausia precoz. Resignada a la idea de que ya no tendría niños, se negó, en cambio, a postergar indefinidamente la casa en tierra firme. Los malestares arreciaron hasta que tuvo que ser depositada en el primer puerto, con síntomas de peritonitis, faltando una semana para terminar el contrato.

Candela no fue operada de peritonitis, pero tampoco volvieron a los barcos. Aunque se negaba a admitirlo, Adolfo mismo, como lo declaraban sus cartas, se había quejado de todo. De la pelea con los otros artistas (por el cartel o por las atenciones del capitán), de las comidas, del ocio y del trabajo, de la compañía de navegación, de los pasajeros, del agua del natatorio, de los malos libros en la biblioteca de a bordo, de la estrechez del camarote.

Compraron un pisito en Móstoles, al sur de Madrid, que hoy valdría una fortuna, pero que terminaron vendiendo con hipoteca por cuarenta mil dólares estadounidenses, unos años más tarde. "En España trabajaron poco y nada, diría el primo Alfredo. Unas galas en provincias, no más que eso. Tu tío daba algunas clases de música y *tap* y Candelita de canto. Pronto se aburrieron de esa vida. Ella se hubiera quedado, de todos modos. Pero él volvió a empezar con la locura de Miami. No soportaba, creo yo, que lo viéramos los parientes, yendo para viejo y fracasado, sin la fama ni la fortuna que había previsto, y sin mucho que hacer con todas las horas huecas que le sobraban en el día. Madrid puede ser muy aburrido si no se tiene dinero para gastar."

Liquidaron el piso y quemaron las naves, pero no los esperaba la conquista del imperio americano. En el viaje que los llevaba a destino, según mi tío, asaltaron la caja fuerte del barco y les robaron casi todo el dinero obtenido en la venta del piso. Según el primo Alfredo, aquel dinero había desaparecido por sí mismo durante los meses de inacción y espera en América. Quisieron volver a trabajar para Mr. Bramson y lo encontraron desganado y algo enfermo, poco dispuesto a contratar a quienes habían defeccionado años atrás, y menos aún ganoso de ayudarlos con los trámites de su establecimiento definitivo.

Fue entonces cuando en la vida de ambos apareció el Destino, esta vez en figura femenina. No se trataba de la Señora muy blanca, porque vivirían aún muchos años más. Era Nadia, que se había quedado sola tras la muerte de su madre, y los invitaba a compartir con ella la tranquilidad —ya que no la abundancia ni la limpieza— de su casa en los suburbios.

Tales suburbios, con los cambios económicos y políticos de los años noventa, serían cada vez menos pacíficos. Pero eso mi tío no podía predecirlo. Se dejó convencer por Nadia para enviar una pequeña cantidad de dinero y depositarlo en la Argentina a plazo fijo. Los intereses pagados —insistía ella— eran altísimos. Poco tiempo más tarde se desencadenaría la hiperinflación, durante el gobierno de Alfonsín. Entonces los pocos papeles verdes, pero todavía valiosos, que mi tío había enviado, se multiplicaron, una vez convertidos a pesos, en una montaña de obleas descartables como las hojas secas, que sólo podrían valer algo dos o tres siglos después, en calidad de reliquias para coleccionistas.

Para esa época Adolfo y Candela ya se hallaban en la Argentina. Mi tío acababa de entrar a la edad en la que se jubilan los que han trabajado regularmente sus ocho horas de oficina. Estaba quebrado. Ni la residencia en los Estados Unidos, ni

Miami, ni siquiera la casa rodante en un *camping* del país del norte con la que se hubiera conformado en los últimos tiempos, habían sido posibles. Le quedaban unos pocos dólares en efectivo y un equipaje de instrumentos, ropas de escena y *souvenirs* de varios continentes, que fueron malvendiendo para sobrevivir. En algún momento, y gracias a los pocos aportes que había hecho durante su primera etapa en la Argentina, como artista circense, consiguió que le asignaran una pensión mínima.

La vida de mi tío estaba expuesta con sus últimas cartas sobre una mesa despintada y chueca, de tienda de campaña. Había perdido, y lo tenía claro, aunque no pudiera decir, como en la canción, *Je ne regrette rien*... Pero, ¿y Candelita? ¿No había abandonado por él una mediana pero ya segura fama, una relativa prosperidad y una familia en su tierra natal? ¿Habría valido la pena el haberse dejado arrastrar por un tenorio en decadencia? Candela no lo lamentaba, sin embargo, y solamente Nadia sabía el secreto.

¿Qué había en Adolfo, aparte de un badulaque, un vago, un papamoscas, un presumido, un malcriado, un infeliz, carente de lógica, orden, previsión y sentido de la oportunidad? Había un hombre que hacía reír a las mujeres, dos manos que tocaban canciones arrebatadoras, ésas que hablan de un mundo perdido que jamás tuvimos, y evocan una felicidad inexistente. Había, también, un varón que curaba la herida casi mortal dejada por otro.

¿Quién era Candela cuando lloraba por las noches? ¿Una niña que se abrazaba las rodillas, oculta entre la ropa de un armario, para que no la encontrase el que venía a buscarla, el que le daba nombres de flores pero la invadía con manos abusivas? Alguna vez, ese hombre había dejado de beber y también de buscarla. Y aquellas huidas de la niña entre sábanas, chaquetas, abrigos, pantalones, o en su refugio bajo la cama, semiahogada por las pelusas de la alfombra, o tras la ropa tendida, en el patio, a donde se deslizaba por la ventana del cuarto, descalza y en camisón aun en las noches de invierno, pasaron a ser como si no hubieran sido. Alucinaciones del sueño, ficciones de la memoria, de las que nadie hablaba ni podía hablar porque eran inconcebibles, fuera de lugar en el mapa de la realidad.

"Lo habrás soñado, hija. Serían pesadillas. ¿Cómo iba a hacerte eso? ¿Pero qué dices?", dijo la madre que no veía ni oía. "Tu padre venía descompuesto. Gritaba, hacía ruidos, te asustarías. Ahora, gracias a Dios, ya está curado."

Definitivamente sobrio, de punta en blanco, el padre exhibía a su única hija junto a la madre sorda y ciega en la misa del domingo. Celoso y severo, administraba sus contratos de niña prodigio y estrella juvenil. También echaba a sus novios y desmerecía todos los pretendientes, mientras la pequeña Candela seguía encogida, temerosa y oculta tras la inadecuada escenografía de un cuerpo de mujer.

Sólo Adolfo, el ex chico bobo, que en algunas cosas se había vuelto astuto, buscó pacientemente a la niña escondida entre los decorados engañosos, y la llevó despacio y de la mano al aire libre, aunque sin lograr del todo que creciese lo suficiente para ajustarse al cuerpo donde estaba. De cualquier manera, Candelita le estaría pagando el resto de su vida ese rescate.

Nadia, por su parte, no le debía al tío Adolfo ninguna vindicación caballeresca. Seguramente, tampoco lo idealizaba. Era la primera en criticar sus manías gastronómicas, su adicción a las vitaminas, sus planes equivocados. Y sobre todo, la vocación de desfacedor de entuertos que lo había conducido a cargar con Candelita como si fuese una leve capa de plumas y no, por momentos, una piedra al cuello.

"Cuanto más machos, más les gustan las ñoñas", había dicho, muchos años atrás, mi tatarabuela paterna, María Antonia, a la que Nadia no conocía ni de mentas. El nieto del capitán Calatrava quizá no hizo otra cosa en toda su existencia que ponerse a demostrar cómo, a pesar de haber sido *boy* de Celia Gámez, a pesar de no haberse interesado jamás en el ejercicio de las armas ni en la honra militar, a pesar de que veía a Dios como el *manager* de un circo fracasado, y de que había borrado de su diccionario la noción de patria, él era el hombre cabal que se miraba en el virtuoso espejo ofrecido por Candela.

Nadia lo sabía, y se llevó a su compañero Adolfo tal como era, y en su última etapa de gallo sin plumas, a su casa de Moreno en un Lejano Oeste bonaerense que por momentos se le antojaba a mi tío no menos salvaje que el Oeste de las películas de *cowboys*. Candelita vino irremediablemente adherida a él como un *bonus track* indeseable. Pero Nadia, aunque la despreciaba, tampoco la malquería del todo. Los años —se decía— le habían enseñado que cada uno hace lo que puede, no lo que debe. Candela hubiera debido guardar entre las sábanas un buen cuchillo de cocina para cortarle lo que fuere necesario a ese hombre que no era padre, sino una mala bestia. Hubiera debido irse de su casa a correr mundo por cuenta propia en cuanto llegase a la edad adecuada, y sacar partido, para su exclusivo beneficio, de esa voz que ponía a cantar con ella todos los cristales. Pero no pudo romper por sí misma los vínculos con el padre que seguía siendo un tigre cebado, aunque dormido, ni con la madre sorda y ciega que sólo se merecía una recíproca indiferencia. Había seguido esperando durante años, acodada sobre el balcón, la llegada del caballero andante que apareció por fin, en una edición un tanto antigua, y con el lomo averiado por el reumatismo.

Por las mañanas, muy temprano, Nadia se calzaba las botas de lluvia y salía a la huerta, después de haber desayunado una medida de vodka y dos huevos fritos con tocino (un hábito yanqui del que le costaba desprenderse). Si era invierno, el fuego de horno que llevaba en el estómago la calentaba enseguida de pies a cabeza y le salía por la boca, en gruesos anillos de vapor. Alta y gorda, marchaba con el majestuoso balanceo de una nave por el Mississippi y disfrutaba del poder de su cuerpo mientras removía la tierra tal como aquellos buques hendían con sus ruedas la corriente desmesurada.

Si era verano, se iba en cambio hacia la bomba de agua, y llenaba, a mano, un balde entero que se arrojaba sobre la cabeza. A veces el tío Adolfo, insomne, miraba por una rendija de la persiana la gran silueta mojada, y comparaba las antiguas curvas de sirena de su compañera de malabares con sus actuales dimensiones de ballenato. ¿Se sabría Nadia observada, y en esos términos? En todo caso, a ella no le importaba ya la belleza, sino la fuerza.

Anclado a esa roca, a ese baluarte, vivió hasta el final el tío Adolfo, por momentos uno más entre los animales desprotegidos —perros, gatos y pájaros— que acudían a la casa de Nadia como al parador definitivo donde se les otorgaría un insólito trato de igualdad con los humanos.

Doña Julia en Buenos Aires

La doña Julia que yo conocí había nacido abuela. En su generación las señoras mayores no se teñían el pelo, y tampoco se lo cortaban. Ella lo tenía blanco, con reflejos amarillos, peinado en forma de rodete y sujeto con horquillas sobre la cúspide de la cabeza. Miope como toda su familia, y luego operada de cataratas, usaba gafas de montura gruesa que le añadían unos años, aunque eso no la perturbaba gran cosa. También compartía con su generación el culto de la respetabilidad, no el de la estética.

Sin haber cumplido los setenta, doña Julia ya era una abuela de cuento o de *cartoon*. Para asemejarse del todo a la dueña del canario Tweety sólo le faltaba el sombrerito. Llevaba las faldas de ese mismo largo y los zapatos de punta redondeada y tacón bajo en los raros días de salir. Para los interiores le bastaban las zapatillas (que no eran, claro, las actuales acordonadas y deportivas, sino unas abiertas, de tela de lana, parecidas a pantuflas). Sobre la espalda, siempre aprensiva y vulnerable al frío, usaba una pañoleta.

Antes de la casa nueva de estilo americano, entre los árboles de Castelar, habíamos vivido en una casita alquilada de Liniers, sobre el límite entre la Capital y los suburbios del Oeste. Tenía un patio, y macetas con flores que desprendían pétalos. La abuela se había resbalado sobre ellos una mañana y había sufrido una caída con mediana suerte. No llegó a quebrarse la cadera, pero un tendón se resintió sin remedio. Por eso bajaría siempre hacia atrás, y aferrada a la baranda, los escalones de la casa flamante, por eso, también, se acentuaría su tendencia a la reclusión doméstica, cimentada igualmente en las lumbalgias y dolores reumáticos de los que se quejaba el tío Adolfo, aunque en este caso, tanto para mi padre como para el primo Alfredo, tenían más que ver con la justificación de su holgazanería.

Salvo las pocas veces en que necesitó acudir a un médico especialista (el clínico —un vecino— venía a atenderla a casa), mi abuela no salía sino a misa, como las dueñas y doncellas encerradas del Siglo de Oro. Nunca supe que esto le molestara. También pertenecía a los valores de su tiempo el que una señora no necesitase dejar su comodidad hogareña sino para lo imprescindible. Bastante había trotado rumbo a la casa de empeños cuando era joven, infeliz y aún enamorada de un marido incapaz de ofrecerle una vida consistente. No podía acusarse de lo mismo a su yerno. Antón, a pesar del color de sus ideas, había hecho levantar unas paredes sólidas y espesas como los muros de un convento, detrás de las cuales doña Julia podría refugiar su vejez sin temor al desalojo, a la enfermedad, a la incertidumbre. Si no hubiera estado de por medio mi tío Adolfo, tal vez la enemistad entre mi abuela y mi padre no hubiera llegado nunca a extremos.

Acaso porque tenía que mendigarle a Antón una renuente hospitalidad para su hijo, doña Julia se empeñó en no deberle ella misma nada al jefe de familia. Quizá por eso sus días —salvo un intervalo de siesta— jamás fueron vacíos. Doña Julia se levantaba temprano y preparaba el desayuno. Mientras mi madre trabajó fuera de casa, era ella la que me acercaba a la cama la taza de leche caliente, y siempre fue ella también, no su hija Ana, la encargada de la comida del mediodía.

Doña Julia mantenía con los alimentos una relación tensa y ambigua. Criada en la escasez, consideraba que a cualquier persona normal debía bastarle con lo justo para la subsistencia. Todo lo demás le parecía un desafío a los dioses implacables del hambre y de la guerra y un derroche de gula pecaminosa. Los únicos exceptuados de la recomendación de abstinencia eran los niños, siempre que no se atiborrasen de golosinas.

A la menor sospecha de anemia o avitaminosis, mi abuela caía sobre mí como un ángel de la cocina. Blandía en la mano una copa donde había batido un mejunje de color naranja. Eran yemas de huevo mezcladas con oporto. Aunque el alcohol me estuviera rigurosamente prohibido, aunque doña Julia fulminase con la mirada condenatoria a Antón, el rojo, porque me permitía brindar con vino y soda los domingos, el oporto, no menos alcohólico, quedaba para ella neutralizado por el poder germinativo de las yemas crudas.

Mi madre dependía de la suya propia para la preparación de comidas que no le interesaban. En los últimos años, cuando mi abuela, fatigada, se iba a dormir demasiado temprano, las cenas no existían, reemplazadas por yogures, huevos duros o pasados por agua, y el café con leche al que retornaba doña Ana. Papá, devoto del doctor Vander, llegaba tarde y consumía potajes de cereal y acelgas y verduras trituradas en la licuadora.

Doña Julia no quiso ceder jamás el espacio de la cocina. Era su baluarte, el certificado de su necesidad de ser, la justificación de su lugar en la casa del enemigo. Cuando abría la perilla del gas, abría un reino librado a sus poderes, que Ana heredó como una carga después de su muerte.

De eso, de la muerte, se ocupaba mi abuela el resto de su jornada laboriosa, a veces mientras cosía (y rezaba al mismo tiempo), o mientras desgranaba, una a una, las cuentas del rosario. ¿De qué hablaba doña Julia con su Dios en esas tardes? El rosario no requería de palabras propias. Era una cadena de oraciones ya estipuladas: avemarías, padrenuestros, pésames y glorias, enhebrados en el camino de la Anunciación a la Resurrección. Pero otras veces, abandonado y suelto en el regazo ese collar de misteriosas perlas negras, mi abuela movía los labios sin que se le escuchase palabra. Rezaba, me dijo una vez, al Señor de la Buena Muerte para que el fin de sus días, al que se acercaba con una clara conciencia sin terrores, fuese indoloro, rápido, piadoso.

Ven, muerte tan escondida, que no te sienta venir, porque el placer de morir no me torne a dar la vida...

No, no se trataba de eso. Doña Julia no era mística. Trataba a Dios con distancia y deferencia, y a veces con reconvención compungida y apenas insinuada, que se disolvía finalmente en el acatamiento. Dudo que imaginara la muerte como el territorio de la unión tan deseada. Pero no quería sufrir innecesariamente ni hacer sufrir a los otros.

La tranquilidad de mi abuela me parecía pasmosa. Era la persona más vieja que yo conocía, y caminaba, por lo tanto, todas las mañanas un pasito más hacia esa garganta rocosa en cuyo borde concluía la vida y comenzaba el abismo. Lo sabía perfectamente y nada podía hacer para evitarlo. Sin embargo, no parecía inmutarse ante esta certidumbre.

¿Qué haría yo cuando la Señora Muerte me buscara? *Ay, muerte tan rigurosa, muy más que la nieve fría*. ¿Subiría a un balcón sólo para que igual se cortase el cordón de seda que me sustentaba precariamente atada al reino de este mundo? *—Vete bajo la ventana donde labraba y cosía, te echaré cordón de seda para que subas arriba, y si el cordón no alcanzare mis trenzas añadiría. La fina seda se rompe; la Muerte, que allí venía: —Vamos, el enamorado, que la hora ya está cumplida.*

¿Me escaparía a otra ciudad, para que allí me esperase la Muerte irresistible como esperaba al viajero que huía a Samarcanda?

Doña Julia no hacía ni haría nada. Los años se le pasaron como las cuentas del rosario, sin que ella se moviese de su sillón junto a la ventana. Esa quietud de lama, de fakir o de mujer sencilla, en un todo conforme con su destino mortal, no por boba resignación sino, simplemente, porque no cabía torcerlo, era su fuerza. La única gracia que quizás había pedido para sí misma en toda su existencia le fue concedida.

Al doblar el recodo de los ochenta años, se rompió el hilo de seda que la sostenía. El tránsito fue fácil y sereno y no duró siquiera lo que dura una noche.

La habitación de doña Julia y las tías de Barcelona

La ventana junto a la cual se sentaba todas las tardes doña Julia ya no existe.

Ahora es un hueco, un umbral que separa los dos sectores del salón donde escribo, un espacio que sutura lo viejo y lo nuevo, en el mapa de cirugías plásticas que han ido modificando el cuerpo de la casa.

Doña Julia se instalaba allí para coser, para rezar, y sobre todo para gozar del sol americano, tan distinto de los rayos pálidos y húmedos de los pisos madrileños. Quizá esperaba que así se terminase de hornear la masa inconclusa e infantil de su alma huérfana.

Mi abuela pegaba botones y hacía dobladillos, alargaba ruedos de faldas y zurcía pulóveres perforados por las polillas. Con el afán de ahorro que le habían inculcado y recalcado la orfandad y la guerra, reparaba y reformaba toda clase de prendas. Una de sus obras maestras fue también el motivo de mi mayor vergüenza, justo al ingresar en la pubertad.

Aquel trabajo verdaderamente artesanal se dibujó sobre el molde de un antiguo camisón de *broderie* y encaje, donde doña Julia cortó las formas de una prenda íntima hoy casi extinta que se llamaba por entonces "combinación" (en español peninsular) o "enagua" (en argentino).

La llevé puesta sobre la piel desnuda cuando me tocó presentarme a la revisión médica general para el ingreso a la escuela secundaria. Mis pechos todavía futuros levantaban apenas la delantera bordada.

Ninguna de las otras escolares usaba una combinación semejante, que parecía salida de una película de Mary Pickford. Fieles al último grito sintético de la modernidad, o carentes de abuelas hacendosas, todas las demás lucían prendas de *nylon* blanco, rosa o amarillo, adornadas de encajes artificiales. ¿Por qué mi madre, que traficaba justamente con esas prendas, no me libró de aquella exhibición innecesaria? Tardé más que las otras en ponerme *soutien* y medias de seda con costura. Doña Ana y mi abuela, amparándose en el pretexto que les daba mi tamaño preferían vestirme con ropas similares a las de la muñeca de porcelana que me duró tan poco. Durante años, luego, detesté el *broderie* que parecía identificarme para siempre con los restos de un mundo desaparecido y pretendía tapar con ellos un cuerpo nuevo. Aunque también era blanco sin atenuantes, el mío se había fabricado en el horno eficaz del sol de América.

Doña Julia intentó enseñarme a coser una y otra vez, durante casi todo el tiempo que compartimos. Fue en vano. Sólo produje atroces pañuelos festoneados con vainillas de agujeros desiguales y remates sucios, de tanto morder y estirar los hilos. También un mantelito con bordados en punto cruz que imitaba torpemente los modelos labrados en cañamazo por mi joven abuela. Fracasé en la costura, en la confección de mapas, y en toda tarea que implicara prolijidad, pulcritud y paciencia manual. Mi madre me reprendía frente a doña Julia, pero era mi cómplice. Se vengaba, junto a mí, de sus propias horas infantiles pasadas con la cabeza gacha, sobre un mantel imposible.

¿Por qué la abuela Julia insistía de tal manera en el aprendizaje de los saberes domésticos? No, y eso me constaba, porque descuidase los del intelecto o los juzgara inadecuados para las mujeres. Era ella después de todo, la que había satisfecho mi curiosidad por las letras, la que me había enseñado a unirlas y a entender los efectos de esa reunión prodigiosa, mucho antes de ir formalmente al colegio. "Su abuela vale un Perú", me había dicho la madre Bertrán, castellana como ella, que sería mi primera maestra en la escuela de monjas. Doña Julia estaba orgullosa de mis habilidades precoces para la lectura y la escritura, tanto como lo había estado de los talentos musicales de su hijo Adolfo, y no vacilaba en exhibirme despiadadamente, como una mona sabia, ante cuanta visita se pusiese a tiro.

Había otra razón incontestable para que una niña de buena familia tuviese que conocer y practicar las tareas hogareñas, la disciplina de la costura y la fatigosa filigrana de los bordados. Una razón por la cual las aptitudes intelectuales, por vistosas que resultasen, no podían reemplazar en modo alguno a las otras destrezas que todas las jovencitas debían dominar aunque estuviesen destinadas a ser millonarias y contasen con un ejército de servidores. Ese fundamento era moral, y cualquier muchacha española respetable lo tenía inoculado en las venas, real e imperceptible, mucho antes de que se inventasen las vacunas.

El fregado y el barrido, la cocina y la costura, el pulido y el lavado, el uso de la plancha y el almidón no eran meras capacidades mecánicas que un robot hubiera podido ejecutar incluso con mayor exactitud. Eran, antes bien, garantías casi infalibles de la pureza e integridad de sus poseedoras. ¿No había, acaso, una incompatibilidad fatal y natural entre el ejercicio de las tareas domésticas y la propensión a la vida disoluta y las malas costumbres? ¿Es que acaso las putas y mantenidas lavaban, cocinaban, cosían y planchaban como mujeres decentes? ¿No era cierto que la mayoría de ellas se había iniciado en su degradante oficio por simple horror al trabajo e inclinación malsana a la holgazanería y a todos los vicios anejos, como la incontrolable afición a los bombones y las golosinas, a la bebida blanca y a los licores (aunque los destilasen las monjas de clausura), a los naipes, a los cigarros que algunas se hacían traer de La Habana, y a la vergonzosa lectura de folletines en posición decúbito dorsal?

Probablemente mi abuela imaginaba prostíbulos colmados de odaliscas gordas y níveas como la clara batida, que interrumpían sus ocios para ocuparse desdeñosamente, como quien se quita de encima un mosquito, de varones desesperados que apenas les hacían mella en la carne con sus aguijones grotescos.

Parecerse a Gea, todopoderosa. Ser redonda, insaciable, casi invulnerable y siempre fértil, como la Madre Tierra. ¿Sería ése el sueño infame y secreto que se ocultaba bajo el pudor de doña Julia? No obstante —de eso creía ella estar segura— ninguna puta, ninguna mantenida, ninguna amante, conseguía sostener por mucho tiempo esa dorada indiferencia. Todas, como doña Margarita, se enfrentaban a una alternativa de hierro: terminar abandonadas, en la vejez y en la ruina, o convertirse en esposas. Y ese final feliz, sin duda alguna, era lo menos usual.

Había de ello, por desgracia, ejemplos elocuentes en la familia.

Pero esa historia no pertenecía a la vida diurna de doña Julia en la habitación donde cosía y bordaba, y donde comía a veces, en la etapa final de sus malas relaciones con Antón, el rojo.

Para oírla, yo debía esperar a la noche.

Hasta los doce años, en que tuve habitación propia, mi cama turca de una plaza, sin respaldo ni cabecera, estaba al lado de la cama de matrimonio de mi abuela, traída de España, que me parecía una barca de madera gruesa, calafateada y oscura. Mi cama flotaba en el océano de la noche ligada a ella por un invisible cordón umbilical, como los menudos botes salvavidas flotan atados a los barcos. La similitud me consolaba, porque la barca de mi abuela se hundiría fatalmente un día u otro, tragada por una muerte a la que doña Julia no parecía temer de manera particular. Pero mi bote se alejaría hacia la tierra firme. Con el debido respeto, como si despidiera a una reina vikinga, yo la dejaría partir hacia la deriva impenetrable, y cortaría antes mi cordón. Me taparía la cabeza, para no ver desprenderse del cuerpo el alma fosforescente con cara de Medusa y el amanecer me encontraría a salvo, viva, en otra playa.

Mientras tanto, antes de que doña Julia se durmiese, la convencía de que me contara historias.

Algunas eran diáfanas y venían con música. *Una tarde fresquita de mayo salí en mi caballo y me fui a pasear*. Todo se reducía a un intercambio de flores entre los enamorados. *Yo la dije, jardinera hermosa, me das una rosa, me das un clavel*. Ella le daba rosas y claveles bajo un sol de mayo que esta vez no era trágico, como el del romance del prisionero, que sólo podía verlo tras las rejas.

Pero otras historias no eran para ser cantadas, sino para ser dichas en voz baja y aleccionadora. Una de ellas era la historia de las tías de Barcelona. Esa ciudad, donde tenía sentado su hogar legítimo don Fernando, el amante de doña Margarita, había sido también la ilegítima guarida de las reprobables cuñadas de doña Julia que avergonzaron toda su vida a su hermana de sangre, la tía Luisa, madre de Pepe y hermana del abuelo Francisco.

Naturalmente, también ellas habían nacido en Jaén. A la gran capital catalana, donde nadie las conocía ni podía señalarlas con el dedo, no las había empujado otra cosa que la deshonra.

"Desde niñas ya se les veía el pelo. ¿Te crees que aprovecharon el internado al que tenían derecho, como hijas de militar? La tía Luisa terminó sus estudios allí, y tuvo la suerte de casarse con un hombre rico, que la pidió a los dieciocho años. Pero ellas... La tía Adelina se hizo echar. ¡La encontraron fumando y bebiendo en los baños, como un ganapán, como un perdulario en una taberna! La otra, la Merceditas, no era mala del todo, aunque pronto cayó, arrastrada por el mal ejemplo. Estuvieron un tiempo en casa de parientes, pero nadie tenía ganas de aguantarlas. Eran dos holgazanas llenas de pretensiones, que no sabían lavar un plato ni hacer una cama, ni querían aprender. Quién iba a hacerles una proposición honesta, si no tenían dinero ni vergüenza, y ni siquiera valían gran cosa. Parecían esos perritos sin cuerpo y casi sin huesos, que las señoras usan como calientapiés. Dónde iban a llegar esas dos, que no servían ni para zorras."

Doña Julia parecía olvidar, entonces, su propio metro cuarenta y cinco y sus huesitos mínimos y reumáticos no más densos que cartílagos. Pero no los olvidaba. Simplemente exhibía la insensatez de las otras, que no habían buscado con recato y humildad buenos maridos y se habían metido a putas sin contar siquiera con las condiciones básicas para triunfar en el oficio.

La tía Adelina había confirmado todos los malos pronósticos que le auguraban una carrera de perdición cuando se escapó a Cádiz, detrás de un hombre casado. Ya era mayor de edad y sus parientes no podían hacer nada. Pero aunque hubiese sido menor —decía doña Julia— nadie se hubiese molestado en reclamar un pendón semejante. En Cádiz le brotó una niña blanca y rosa como un ramito de claveles surtidos, que al resto de la familia debió parecerle más bien un tubérculo digno de ser escondido rápidamente bajo la tierra.

El hombre casado pronto se desligó de sus responsabilidades extramatrimoniales. Adelina, por no sentirse afrentada en Cádiz, donde tenía conocidos y hasta parientes lejanos, se marchó a Barcelona. Mandó por su hermana Mercedes, para que la ayudase con el cuidado de la niña. Malvivían de la modesta pensión que les tocaba como hijas solteras de militar, en un pisito alquilado. Adelina se presentaba como viuda y tenía colgado en la sala, sobre la estufa, el retrato del capitán

Calatrava con todas sus condecoraciones puestas. A su vera, había colocado la foto de un compadre cubano del capitán, al que hacía pasar por su difunto marido.

"El padre de la niña les giraba de cuando en cuando unos cuartos, pero no para lujos como los que se empeñaban en darse. Chocolate con churros en buenas confiterías, y salidas al teatro. Una vez, como habían ganado un billetito de lotería, compraron un tresillo de terciopelo carmesí que parecía más propio de una casa de tolerancia que de una casa de familia. ¡Y la educación de la niña! Si la mandaron a estudiar francés, y hasta balé. Claro que luego estaban toda la semana a pan y agua y sólo para la pequeña guardaban un poco de leche y un filete."

La abuela conservaba en una caja, en efecto, las fotos de Elisita vestida de comunión –con una diadema de chafalonía que se le antojaba muy poco apropiada para la solemnidad del sacramento–, y también las de Elisita con su tutú esponjoso del Lago de los Cisnes. Elisa tenía, al parecer, sesgados ojos verdes cuya claridad se adivinaba en las fotografías, y también una larga cabellera rubia, sabiamente esparcida sobre espalda y hombros, cuyo color, insistía doña Julia, no podía ser natural, sino logrado a fuerza de enjuagues de manzanilla.

Como era previsible, Elisa no se casó a la edad razonable y deseable. Según su madre y su tía, era una artista que se debía a su carrera. Según mi abuela, otra zorra (algo mejor parecida que Adelina y Juanita) que ponía el ballet de excusa para sus verdaderos negocios.

Durante un buen tiempo, a mi abuela le pareció que el mundo estaba en orden. Cada uno había cosechado lo que en él sembrara. Las tías de Barcelona tenían una reputación arruinada, un piso de alquiler, una vida de fantasías sin sustento, falaces y vistosas como plumas de pavo real, y una sucesora que reproducía el sinuoso trazado de su camino torcido. Incluso doña Julia había mandado un emisario (su hijo Adolfo) para vigilar esos pasos, probablemente menos dedicados a los ejercicios del *ballet* que al merodeo de una elegante trotacalles. Elisa prefería los tacos aguja de charol o cabritilla al sufrido ajetreo de las zapatillas de baile, aunque enviase fotografías dedicadas vestida de Giselle. No carecía de condiciones, le habían dicho al tío Adolfo los del Teatro Liceu de Barcelona —donde aún contaba con algún amigo de su época de músico académico—. Pero le había faltado disciplina para convertirse en una primera figura, y ahora —más allá de los treinta y pico— ya estaba terminada, aunque conservaba método como para dar clases particulares a las niñas.

Doña Julia, en cambio, tenía una hija casada legalmente y por la iglesia con un hombre trabajador y en definitiva honrado (aunque fuese tan rojo como el tresillo de las tías de Barcelona) que había construido una casa en América con los mismos desmesurados ventanales de los pisos de Nueva York. Una casa recta y alta, hecha de sol, de patios y de puertas, donde nada había que esconder y cuyos habitantes se paseaban confiados en los cuartos amplios como los peces de colores jactanciosos en un acuario.

Pero en sus últimos años, cuando empezaron a llegarnos las fotos de la nueva vida de Elisa, el orden del mundo en el que mi abuela había creído tenazmente comenzó a temblar. Elisita, con el pelo ya sin duda teñido de rubio (no se le veía una sola cana y había pasado los cuarenta y cinco) se había casado.

Y no se había casado con cualquiera, sino con un apellido y una fortuna. Un señor maduro también, viudo reciente, caballero de fina estampa y gemelos de oro en los puños de su camisa inglesa, que había puesto a sus pies un piso con balcones sobre la Rambla, y una casa en la playa, y el tapado de pieles de zorro plateado que ocupaba media foto y que doña Ana no había podido comprarse nunca, y un solitario de brillantes que no se veían nítidamente pero que herían el ojo de la cámara con un filo de luz.

Doña Ana había suspirado. "Mejor así. Estaba muy sola la pobrecilla después de que se murieron las tías. Me alegro por ella."

Doña Julia gruñó. "Pues vaya suerte la de esa pájara. A veces creo que Nuestro Señor tiene hijos y entenados."

A mí no me pareció del todo mal que la criticada Elisa contase con un Dios que velara por ella tal vez un poco más que por las otras mortales, ya que, después de todo, era hija natural y no había tenido un padre de carne y hueso que se preocupase mucho.

Mi madre contestó cortésmente la carta, como era su costumbre, enviando los plácemes de rigor. En los meses siguientes fueron llegando de Barcelona más cartas y más fotos, que hablaban de la tardía dicha de Elisa y la mostraban con su marido recién estrenado y sus cinco nuevos hijos (la menor tendría unos tres años) en todas las vistosas actitudes, clichés, prototipos y estereotipos que puede adoptar la exhibición de la felicidad.

El silencio de doña Julia clamaba a un Dios injusto mucho más que todas las blasfemias que no se permitía decir.

También ésta, la réproba, le habría rezado a santa Rita o a otro santo aún más poderoso para que apurase la muerte de la primera mujer del viudo rico, que ya sería desde antes su amante y mantenedor. Y Dios, viejo y débil, cansado o convencido por el parloteo seductor de sus santitos, le había concedido esa gracia del todo inmerecida. ¿Por qué se habría empeñado en salvar a su hija del destino de Margot? Evidentemente, hubiera valido la pena correr el riesgo.

Ahora estarían en Tánger, a un paso de España, o quizá en España misma. La mujer del comerciante se habría muerto, como se morían por fin todas las primeras esposas y Ana tendría una vida desahogada, sin necesidad alguna de dar pruebas de decencia con el ejercicio rutinario de las tareas domésticas, bien servida por doncellitas árabes, de modales suaves y frescos como abanicos. Pasarían las tardes en el patio azulejado de una casa mora, al pie de una fuente clara cuyo rumor haría que la vida fluyese con belleza de música. No habría ventanales, pero la luz llegaría igual, filtrada por celosías. Ana leería en un sillón hamaca, majestuosa y tranquila. No tendría que afanarse como una azacana por las escaleras de la casa de América, ni correr de un lado a otro de la ciudad fatídicamente repetida, con un equipaje que nunca se terminaba de deshacer, como el caracol con su morada a cuestas. Su marido no sería un rojo. Y si no tenía hijos propios, tanto daba. A veces —y doña Julia miraba de reojo a mi hermano Fito— los hijos propios eran pequeños monstruos, mucho peores que los hijos ajenos.

Fito

Fito nació un veintisiete de mayo, dos días a destiempo para celebrar la fiesta patria del veinticinco, en la cual la Argentina (o Buenos Aires) conmemora su primer intento de independencia de España.

También Fito llegaba a destiempo a la vida de la familia donde fatalmente, para su propio disgusto y el de los miembros ya existentes, iba a crecer. Ana, que, para los criterios de su tiempo, había sido una muy tardía madre primeriza (casi a los treinta y nueve), no esperaba tener más hijos. Mi hermano pasó inadvertido durante sus primeros meses de existencia intrauterina, confundido con los síntomas de una menopausia a la que doña Ana suponía haber entrado.

No era un final, sino un comienzo. Tácito, secreto, subrepticio, Fito se expandió como una extraña planta parásita en el interior de su madre. Poco recuerdo de esos meses, salvo que doña Ana había engordado en forma monstruosa y asimétrica, y sin explicación satisfactoria para mí. En aquella época los bebés aún llegaban en el pico de las cigüeñas, aunque seguramente mi madre y mi abuela no las imaginaban partiendo de un París que ninguna de las dos había conocido, sino desde lo alto de un campanario castellano.

Aquel niño inoportuno, empeñado en vivir donde nadie lo había llamado, se instaló como un tumor en malsano crecimiento no sólo en el centro de mi madre, sino en el centro de una casa que no lo estaba esperando. Doña Ana había quedado consternada por la noticia. Le parecía bochornoso tener un hijo en la época en que otras mujeres ya empiezan a prepararse para recibir nietos. El obstetra le aseguró que no debía preocuparse. La criatura actuaría como el motor de una renovación orgánica más poderosa que cualquier tratamiento de belleza y rejuvenecimiento. Mi madre se consoló con esta idea y descartó otros efectos que el médico había preferido omitir, como la descalcificación, o el riesgo de que el niño tuviera un cromosoma de más o algún otro daño psíquico y mental, por exceso o por defecto.

Esto sólo comenzaría a pensarse años después. Los primeros en decirlo con bestial franqueza serían los compañeros de escuela de Fito. La primera en sospecharlo, sin atreverse aún a formulación alguna, sería doña Ana. No se trataba, claro, en el caso de Fito, de la anomalía cromosómica que produce el síndrome de Down, sino de otra, imprecisa, que no le quitaría a mi hermano un ápice del llamado coeficiente intelectual, pero lo iría convirtiendo, en cambio, en un ser huraño y arrogante, absolutamente inútil para el trabajo y las comunes felicidades de la vida, y odiado, al final, por casi todo el resto del universo.

¿Cuándo empezó Adolfo, llamado Adolfito, y luego Fito, a ser quien sería? ¿En qué momento decidió (o *se* decidió) en su interior, el camino desviado por el que lanzaría finalmente su existencia a la deriva? De todas maneras, sería en vano saberlo, ya que nada podría luego modificar su derrotero.

Fito llegó a casa una noche fría de fin de mayo, después de dos días de ausencia de mi madre. Yo la había ido a ver cuando ambos estaban aún en el hospital. Supuse que, para cuando lo trajeran, Fito habría perdido su color de nacimiento: ese tono casi rojo que toman las pieles muy blancas, pasadas por un día de sol, y que ya se parecería más al muñeco de porcelana blanda, tibia, maleable, que me habían prometido para mis juegos. No fue así. Fito conservaría por un buen tiempo su cutis de criatura acuática sumergida en agua hirviente, y nunca sería blando, maleable, tranquilo.

Siempre tendría algo de qué quejarse, y sólo saldría de sus largas horas pasivas para perpetrar alguna conspiración triunfante contra el mundo hostil. En sus primeras fotografías, Fito es un bebé menudo, largo y flaco como el renacuajo mal alimentado en un estanque pequeño, de jardín. Salvo por el pelo crespo y el color claro de los ojos se parece notablemente a las fotos de su tío y tocayo, a la misma edad. Quizá porque los espejos son mortales, se detestaron recíprocamente con verdadera pasión familiar hasta la muerte de Adolfo. El parecido que ellos se negaban a ver lo veían, no obstante, otros, y no ya por meras razones físicas. "Es que hay una línea recta: el abuelo, el hijo y el nieto. Uno más vago y más lleno de ínfulas que el otro. Tal para cual", diría, mucho más tarde, el primo Alfredo, aunque sólo conocía a mi hermano de mentas.

Las ínfulas de mi tío consistían, sobre todo, en cultivar hábitos de señorito. Sólo hubieran sido aceptables en alguien que podía vivir holgadamente de rentas, pero resultaban insultantes en un pelagatos que se precipitaría en el más completo desamparo no bien sufriese cualquier revés de la fortuna. Las ínfulas de mi hermano eran de peor especie. No tenía el cinismo más o menos elegante y frívolo de un señorito, sino la soberbia y el desprecio de la higiene y de todos los hábitos sociales propios de un Diógenes, pero no autárquico ni sabio, sino esclavo de las drogas y del alcohol.

Mi abuela inauguró la primera cadena de aversión y desapego con que mi hermano se amarró paradójicamente a la vida. Es difícil establecer quién de los dos no quiso al otro primero. Doña Ana temía por entonces al encierro y deseaba contar con dinero propio. Siguió saliendo a vender enaguas de encaje y armaduras de raso, y a almorzar café con leche y mediaslunas en las confiterías del centro, durante los intervalos entre un viaje y otro. Mi abuela Julia, que se acercaba a los setenta años, debió quedarse con un niño demandante, fastidioso y llorón, que, lejos de acomodarse en el mapa de la realidad, pretendía hacer del mundo un manso escenario para el cumplimiento de sus deseos.

La legislación que mi hermano había impuesto a lo real funcionó relativamente bien antes del ingreso escolar. Una mañana, mi madre lo trajo a rastras de la calle. Se había encaprichado con algo que doña Ana se negó a comprar. Ninguno de los dos quiso ceder, y Fito rabió, quizá durante horas, encerrado en uno de los dormitorios. Cuando mi madre abrió finalmente la puerta se había dormido, agotado por la furia. Doña Ana no repitió la lección, apenada. Aquél, creo, fue su primer y último acto de rebeldía contra Fito, durante los años iniciales de su infancia.

Mi hermano conoció el jardín de infantes que yo no pude conocer. Viví, desde mi nacimiento hasta los seis años, entre las paredes de una casa de adultos, completamente española. Al entrar a la escuela, pronunciaba las "ces" y las "zetas" como una recién desembarcada, y todos creían que acababa de llegar de Madrid. Así ocurrió al menos cuando por fin me oyeron hablar, una vez sorteado el obstáculo de la inolvidable primera mañana, en que casi no pude hacer otra cosa que musitar mi nombre y apellido, y ocultar desesperadamente el charquito de pis que se había formado a mis pies mientras hacíamos fila en el patio del colegio.

Fito no tuvo que entrar, sin anestesia y vestido de uniforme, a las aulas para mayores donde unas monjas levemente bigotudas enseñaban a trazar sobre el cuaderno a rayas los primeros palotes y las primeras letras. Cuando le llegó el turno, ya existía un jardín de infantes en el colegio para varones frente a nuestra casa. No se usaba uniforme sino delantal a cuadritos y corbata de colores. No se llevaban valijitas con los útiles, los niños balanceaban informales bolsas de tela, cargadas de crayones.

No por eso, sin embargo, empezó Fito el nivel preescolar con mayor alegría y ligereza. Al contrario de la mayoría de los niños, su historia de *kindergarten* fue ominosa. Autocondenado al encierro, se ocultaba, al parecer, debajo de las mesas y se tapaba la cara con los mantelitos que las cubrían. La escuela primaria, un año más tarde, profundizó los conflictos. Asido al alambrado con las dos manos, encajada la punta de los zapatos en los rombos de la valla, sin que la maestra lograra desprender ese abrazo de ventosa, Fito berreaba llamando a su madre, que se iba o fingía irse con su portafolio lleno de muestras de lencería, rumbo al trabajo.

Cuando volvía a casa, Fito se vengaba de la escolaridad forzosa de todas las maneras posibles, descolgando y arrojando al suelo la ropa recién tendida, ocultando los anteojos de mi abuela, perdiendo las agujas de su costurero, volcando sobre el mantel la leche de la merienda. Doña Julia consiguió por un tiempo que el confinamiento fuese más riguroso. El nieto extemporáneo fue anotado como alumno con media pensión. Cumplía doble turno y ya no regresaba para almorzar. Su conducta escolar llegó a ser entonces tan mala que mi madre lo devolvió al turno simple. No duró en aquella escuela exigente mucho tiempo y dos o tres años más tarde hubo que cambiarlo a otro colegio.

Desde que Fito empezó a quedarse en casa por las tardes, y ante las quejas de mi abuela, doña Ana había reducido sus horas de trabajo en la calle y los comercios, y se ocupaba personalmente de estudiar la conducta de esa criatura problemática. La vida de su hijo pasaba a su costado, perturbadora, incontenible, sin que ella pudiera o supiera modificarla. Ana no tenía explicaciones y tampoco remedios. Doña Julia pensaba, sencillamente, que era un niño torcido y atravesado, de ésos que aparecen en el mundo de cuando en cuando para mortificar a sus familias. Antón, su padre, se rehusó a pensar cosa alguna. Cuando Ana le propuso recurrir al psicoanálisis, que empezaba por entonces su gran auge, él se negó de plano. Su hijo no estaba loco, dijo, terminante. Pero la sombra de su tío Domingos, el inocente, con su traje talar y sus proyectiles de orín y de excrementos, se le cruzó sin duda con la figura flaca y huidiza de Fito, con su pelo también ondeado y cobrizo y los ojos claros donde saltaban, de pronto, rojos destellos de furia burlona.

Con esas chispas, mi hermano traspasaba las barreras de la imaginación y prendía fuego a los objetos reales. Aquellos fueron sus años clandestinos y gloriosos de pirómano infantil. Desinteresado por completo de las asignaturas escolares, tenía dos pasiones combinables: los monstruos prehistóricos y los volcanes. Mucho antes de *Jurassic Park*, de *Godzilla*, de los *cartoons*, las animaciones y los parques temáticos de dinosaurios en Disney World, mi hermano soñaba con los reyes herbívoros de una era extinguida, y con los reptiles predadores de vuelo carnicero. En aquel planeta húmedo y vegetal, campo de pasturas gigantescas donde se hundían cuellos de diez metros y colmillos más largos y más eficaces que cosechadoras mecánicas, sólo había un gran enemigo: el fuego. El que llegaba del cielo, en una explosión de meteoritos; el que se desencadenaba en el seno de la tierra madre, vomitado por las bocas de los volcanes.

Demiurgo en mínima escala de ese globo primigenio, Fito dedicó buena parte de sus tardes libres a recrear junglas prehistóricas bajo los helechos domésticos, y a provocar erupciones, emergentes de cráteres improvisados, donde morían, en masa, retorcidos reptiles de cartón. Sus metódicos incendios se fueron volviendo compulsivos y recurrentes y ya no se limitaban al jardín del fondo de casa. A menudo llegaban a los terrenos baldíos donde otros niños se reunían para jugar al fútbol. Fito, poco aficionado a la práctica deportiva, esperaba a que los otros se fueran para construir sus escenarios apocalípticos sobre túmulos de hojas secas que ardían con facilidad. Por aquellos años abundaban en la ciudad de las afueras los terrenos sin edificar, y se desconocían, casi, los robos, los secuestros, el desempleo. Los chicos jugaban en la calle hasta muy tarde. A veces, cuando Fito demoraba demasiado en volver, la mejor forma de rastrearlo era recorrer las veredas oscuras en busca de los fuegos que marcaban su paso.

Aquella época de felices incendios llegó a su fin el día en que ocurrió el episodio de la cabaña. Habíamos ido a otra ciudad de las afueras —San Miguel—, donde vivía, en una casaquinta de amplio terreno, el contador que le llevaba a mi padre la contabilidad de su negocio. La construcción no tenía nada de particular. Pero el vasto terreno (quizá una hectárea) resumía fragmentos de paisajes y geografías diversas. De un lado había un rincón de bosque, con un lago artificial y un puentecito. Del otro, el suelo natural y liso de la pampa húmeda, con una cabaña o rancho. El contador, descendiente de gallegos, quiso que mi padre la viera, orgulloso de la veleidad reconstructiva que voluntariamente lo emparentaba con la tierra de su nacimiento.

Dentro de la cabaña, bajo el techo de paja, estaba el mostrador de una de esas pulperías o almacenes rurales (situados a veces en el territorio fronterizo con la pampa ancha y secreta dominada por los indios), donde se vendían pulpa de carne, velas de sebo, ginebra, azúcar, yerba mate, naipes y ejemplares del *Martín Fierro* que leían o se hacían leer, en rueda de fogón, aun los iletrados pobladores de la campaña.

Nada faltaba en esa maqueta: ni la reja detrás de la cual atendía el pulpero, ni las botellas, las bolsitas de arpillera, las ristras de ajos, las sogas y los tientos colgados de un clavo en la pared. Actores y actrices, aunque mudos y rígidos, animaban el museo: gauchos de chambergo, chiripá y pañuelo al cuello, una "china" con trenzas y vestido floreado. ¿Eran de madera o de cera pintada esas caras cetrinas que miraban a los intrusos desde otro tiempo o desde un no tiempo, inaccesible para los ojos mortales? Fito lanzó disimuladamente un puntapié hacia la bota de potro del gaucho acodado sobre el mostrador, que siguió inmóvil.

Con satisfacción arqueológica, el contador siguió explicando detalles de la ambientación y de la vestimenta: de dónde había traído el gran mortero para moler maíz, visible en una esquina, dónde había cazado el peludo o armadillo cuyo caparazón colgaba de una de las paredes, junto a la ventanita apenas cubierta por un trapo de percal. Fito lo estudió con cierto interés y tocó el rabo articulado de aquel que antaño había estado vivo, cavando galerías subterráneas en el revés de la llanura.

—Es un gliptodonte enano —susurró.

Cuando el contador cerró la puerta, los ojos le quedaron fijos en las bandas del caparazón, salpicado de tachas vistosas como el atuendo de un músico *punk*.

Después del almuerzo, la tarde nos desencontró. Me entretuve con las sobrinas de los dueños de casa, que estaban de visita. Revisé la biblioteca y encontré una colección completa de Monteiro Lobato. Hubo que buscar a mi hermano, que se había ido solo al parque, para que participase de la merienda. Mientras tomábamos el café con leche, sonó el teléfono: los vecinos de la quinta del fondo habían visto salir una humareda entre las copas de los árboles del contador.

Los platos y las tazas quedaron sobre la mesa. En minutos, llegamos al lado del fuego. Aunque estaban disponibles las mangueras de riego, aunque se procedió con eficiente ansiedad, se salvó poco. Todo era demasiado combustible: las pajas del techo, las maderas del interior, el mortero de quebracho, los muñecos —que resultaron ser de cera y llamearon como velas enormes, vestidas de ceniza—. El caparazón del gliptodonte jibarizado fue uno de los escasos sobrevivientes —algo raro de pensar, tratándose, en definitiva, de un bicho muerto—.

Al contador se le saltaban las lágrimas, quizá porque la pulpería diminuta era su juguete, pero también era su seña de identidad argentina, y los gauchos allí reunidos, algo así como las momias de sus antepasados ficticios. Nadie pudo explicarse la causa del incendio, salvo nosotros.

A la vuelta, en el coche, mi padre y mi madre conversaban en voz baja, pero no tanto como para que yo no pudiese oír ráfagas fervorosas de palabras. Fito, sentado conmigo en el asiento trasero, miraba por la ventanilla y sonreía a veces. En el bolsillo del pantalón trasero vi asomar la punta del rabo del armadillo.

La voz en sordina de mi padre, ronca y algo quebrada, se interrumpió de golpe. Empezó a hacer un ruido con la garganta, como si hubiese quedado algo adherido a ella que buscase en vano desprender. Estuvo tosiendo, intermitente, todo el resto del camino a casa. A veces se volvía hacia atrás y miraba a Fito. Bajo el pelo, casi blanco desde que era aún joven, le brillaba la frente sin arrugas, como si él también, alcanzado por el fuego, se estuviese derritiendo, traspasado de gotitas de sudor.

En el país de las maravillas

Yo conocí a Alicia en el país de las maravillas.

Era mi vecina y mi mejor amiga, siempre un poco más alta, rubia rizada, con anteojos y mofletes. Estaba convencida de su indiscutible superioridad, que atribuía sólo, con modestia, a razones cronológicas.

—Cuando tengas seis años, vas a ser tan inteligente como yo —solía decirme en los comienzos de nuestra amistad.

Las mismas razones, sumadas a las de género, esgrimía para desdeñarnos a las dos su hermano mayor: Horacio, también rubio rizado, pero sin mofletes, que era muy músico, muy serio y empecinadamente solitario.

Lejos del desdén, Alicia, con la autoridad que le confería un año más, se dispuso a ejercer sobre mí una función protectora y educativa, aunque la desconcertaba el hecho de que yo —gracias a doña Julia— supiese leer y escribir sin haber comenzado aún la escuela primaria. Afortunadamente le quedaba un resquicio para desarrollar su prematura vocación docente. Alicia iba desde siempre al Conservatorio y en su casa había un piano vertical. Como doña Julia con la costura y el bordado, ella tampoco tuvo éxito conmigo, no por falta de empeño didáctico sino por carencia de aptitudes de su forzada alumna.

Otro era el lenguaje en el que podíamos entendernos: las historias que leíamos juntas en el sofá cama de su cuarto. Las favoritas eran las de llorar a mares, pero heroicas, que diseñaban una épica infantil: *Los hermanos negros, Sin familia* y *En familia,* con sus desdichas y felicidades complementarias, y sus niños maltratados y huérfanos, deshollinadores o vagabundos.

Nuestra vida era, comparativamente, demasiado segura, sin ningún lujo, pero arropada en algodones de certezas y protección familiar. A tal punto que —como todo lo seguro— nos aburría.

—¿Pero de qué se están quejando, nenas? ¿Cómo es posible aburrirse de estar tranquilo y de que no pase nada? ¡Ojalá todos los días de la vida fuesen como éstos! Ah, criaturas, no saben lo que hablan...

Él sí que lo sabía, y muy bien. Don José, el abuelo de Alicia, había llegado de Europa unos cuantos años antes que mis padres, escapando de la segunda Gran Guerra. No nos dijo que blasfemábamos ni que cometíamos un pecado, porque, como papá, era ateo. No lo había sido siempre, pero una pulmonía contraída —según nos confesó— por haberse sometido al baño ritual en la víspera de *Rosh Hashaná*, sumada a la lectura comentada de Marx en los comités obreros, lo habían convencido de la banalidad de los ritos y de la necesidad de liberarse, también, de la esclavitud de la fe.

Sus hijos y nietos habían sido educados en un saludable descreimiento, de manera que Alicia y su hermano iban a la escuela estatal laica, y sólo se les impartían enseñanzas de

Ética. Pero mi amiga, adicta asimismo al género maravilloso, me pedía, cuando jugábamos en casa, que le mostrase misales ilustrados y estampitas de santos. Le gustaban los ángeles y trataba de dibujarlos una y otra vez, con alas de diversos tamaños, extendidas y plegadas. A mí me fascinaban las aureolas, redondas como platos voladores, o en forma de rayitos, y las historias de milagros. La de Jesús caminando por encima de las aguas procelosas del mar de Galilea era mi preferida, aunque, según conjeturaron recientemente algunos científicos, debió de haberse sostenido sobre un trozo flotante de hielo de manantiales que por aquella época podía llegar a formarse una vez cada ciento sesenta años. Lo cual no aminora demasiado su carácter mágico, y convierte por lo demás al Señor Jesús en el único surfista marino sobre hielo que hasta ahora ha conocido la humanidad.

¿Cómo era posible que los hijos del rojo terminásemos asistiendo a colegios religiosos en vez de acompañar a Alicia y a su hermano a la escuela laica? Mi padre, acorralado entre doña Ana y doña Julia, había perdido esa batalla de la Guerra Civil doméstica. Que ambas escuelas estaban casi al lado de casa, era un buen argumento. La fe de doña Julia y, en mi caso, el hecho de que mi madre hubiera concurrido a un establecimiento de la misma congregación, y su gusto por el prestigio social de los uniformes, hicieron el resto.

El día anterior a mi ingreso escolar papá caminaba dando zancadas por el patio. Me hizo señas para que me acercara.

—Tu madre y tu abuela se han empeñado en que vayas a ese colegio. No seas tonta, hija mía. Tú no creas en lo que te digan las monjas.

Nunca conformé enteramente a mi abuela ni a mi padre. Terminé siendo lo que ya era: un espíritu religioso, pero anticlerical de todas las confesiones. Sí creí, sin embargo, en el compromiso sincero de algunas de esas mujeres que habían renunciado a todo lo que les impidiera dar testimonio de la Buena Noticia, aunque la vida fuera el precio. Así lo probaron Léonie Duquet y Alice Domon, secuestradas y asesinadas en los años de la Dictadura.

Don José fue el único abuelo que tuve. Había ejercido el oficio de carpintero, como el padre de Jesús, lo cual añadía encanto mitológico a una imagen casi ideal, soñada, de señor anciano. Bajito y robusto, tenía mofletes, algo más acentuados que los de Alicia. Quizás había sido alguna vez rubio rizado. Ahora era calvo, con ojos grises de mañana nublada y llevaba lentes completamente redondos. Cumplíamos los años casi el mismo día, él un doce de febrero, y yo un trece. De modo que la torta de su festejo también me estaba de algún modo dedicada. Juntos soplábamos las velas, aunque las edades fuesen tan dispares, y se nos cantaba a los dos el *Happy Birthday* o el Apio Verde.

En los fondos de su casa, vecina a la de Alicia, don José, como todos los hombres industriosos, tenía un taller. Allí hacía cosas útiles y serias (repisas para libros, alacenas de cocina), y reparaba sillas y puertas. Pero también fabricaba juguetes y, alguna vez, antes de perder del todo la inocencia, Alicia y yo llegamos a conjeturar si no estaría metido en una sociedad secreta con Papá Noel.

Con el tiempo, fuimos nosotras quienes nos convertimos en autoras de fábulas. Nuestro país de las maravillas no podía existir completo sin un tesoro escondido. Desgraciadamente, no los había a mano. La tradición local, sobre todo la escolar, llegó a hablar de túneles, como los que comunicaban o habrían comunicado el colegio de curas situado enfrente de casa, con el colegio de monjas, a dos cuadras. Nunca pudo probarse esa leyenda lasciva, que tampoco garantizaba, por otra parte, la existencia de tesoro alguno fuera de los prohibidos esplendores de la carne, a los que, por aquel entonces, éramos ajenas.

Sin tesoro a la vista, no quedaba otro remedio que fabricarlo nosotras para uso de otros consumidores crédulos. Los elegidos fueron nuestros hermanos pequeños, ambos de unos cinco años. También a doña Sarita, madre de Alicia, aunque era casi una década menor que doña Ana, ese hijo —concebido cuando ya había pasado los treinta y cinco— le parecía un tanto extemporáneo. Por fortuna para ella, y al contrario de Fito, había nacido y crecido dotado de todas las perfecciones infantiles de belleza y carácter, entre ellas un par de ojos nítidamente azules y una cabellera de Lord Fauntleroy, con bucles de oro viejo que su padre mandó cortar para que dejaran de confundirlo con una nena. Además, Gustavo era expansivo, alegre, confiado. Siempre bienvenido, como una mascota, a las reuniones de los adultos, sacaba a veces de lo que oía en ellas conclusiones insólitas. "Hice un experimento social, y me mojé", proclamó una tarde, después de asistir a un cónclave donde probablemente se había hablado de *soviets* o de *kibbutzim*.

Mi madre y la de Alicia se parecían también en su insatisfacción de amas de casas desesperadas. Ana tenía, eso sí, mayores y más remotos motivos de infelicidad (Sarita, que se hizo su casi confidente, acaso conocería los más antiguos, y el retrato invisible de Pepe bajo la cara del abuelo). Ambas compartían un motivo presente: la cárcel arbolada de los suburbios, lejos de los teatros, de los cines, de las confiterías, de las bibliotecas y las vidrieras. "A mi marido le da lo mismo —susurraba Sarita—, siempre está de viaje. Los chicos juegan en su mundo. Mis padres están felices con tal de que yo me ocupe de ellos. Todo carga sobre nosotras al final. Y a nadie le importa demasiado qué es lo que queremos." ¿Sabían ellas qué era lo que querían? Doña Sarita logró finalmente mudarse al barrio de Flores, en la Capital, y se llevó en el equipaje a marido, hijos y padres, al piano, y a Alicia. Doña Ana terminaría recluyéndose hasta la muerte en los mismos suburbios de los que huía tres veces a la semana. Mientras duró su vecindad, las dos se intercambiaron pesares y libros, buscando en ellos, acaso, el hilo resplandeciente que las sacaría del laberinto.

Nosotras, por entonces, seguíamos la pista de otras luces. La condición fundamental de un tesoro es que brille mucho. Los más espectaculares son los que se encuentran en cuevas, como las de Alí Babá, y se amontonan, del suelo al techo rocoso, en columnas de joyas, doblones, esculturas, tapices y lingotes. Ese despliegue estaba fuera de nuestro alcance, pero tratábamos —aun reduciendo las dimensiones— de que nuestro tesoro fuese lo más vistoso posible. Conseguimos una caja en desuso de té Ybarra, dorada y coloreada como una miniatura bizantina, y nos abocamos a llenarla, a falta de monedas, de botones esmaltados, cuentas de collares rotos, prendedores de *bijouterie* con el broche arruinado, piedritas de mica y de cuarzo parecidas a zafiros o diamantes que el padre de Alicia, geólogo, traía de sus expediciones.

Enterramos la caja, envuelta en tules rasgados (restos del baúl de mi tío) bajo un ciruelo con aspecto de bonsái que se había ido curvando y retorciendo como el capullo de un árbol centenario. Luego trazamos el mapa, en un papel previamente arrugado y quemado con llama de vela por los bordes. El itinerario llevaba desde el portón de la casa de Alicia hasta el ciruelo en el fondo de la mía.

Fue una búsqueda lenta, con avances y retrocesos, interrumpida por ritos, enigmas y conjuros como un camino de Templarios. Alicia y yo nos habíamos pinchado las yemas de los dedos para dejar, a manera de firma, huellas de sangre de piratas. Gustavo llevaba una espada de madera que le había hecho san José, o don José, en persona, y cantaba mientras avanzábamos. Hasta Fito estaba contento. Todavía no había comenzado la época de los incendios. Mi hermano se conformó con las chispas de los botones y las piedras cuando salieron de su entierro y los tocó el sol. Bastaban, entonces, esos rayos naturales para revelar las maravillas ocultas bajo la tierra, para transformar la opacidad pertinaz de lo real.

Esa memoria también es para mí como un tesoro, quizá porque fueron los últimos meses, o los últimos días, en que Fito aún se parecía relativamente a cualquier niño.

Después de que doña Sarita llevó a la Capital su desesperación de esposa enclaustrada, ya casi no volvimos a vernos. Muchos años más tarde, en el día de mi cumpleaños, recibí un llamado de Alicia, que recordaba mi número de teléfono y la fecha que habíamos compartido con su (o con nuestro) abuelo. Fui luego a visitarla a su domicilio propio. Cuando me abrió la puerta, el parecido, aunque completamente lógico y previsible, me sobresaltó. Alicia en el país de las maravillas no volvería nunca: mi amiga se había convertido en doña Sarita. Me llevé la mano a la cara donde, también para ella, debía de estar apareciendo acaso la otra cara perdida y muerta de mi madre.

Ana en Buenos Aires

Las calles de Buenos Aires no terminaban nunca. Eran una prolongación de vías paralelas que conducían a la nada, líneas perdidas en la inmensidad de la llanura. Ana, que ya venía extraviada desde un país propio en el que no encontraba lugar, siguió sin rumbo en la gran ciudad devoradora de pasos. Había algunas paradas (¿algunos oasis?) en los giros en redondo sobre el mapa monocorde de ese desierto erizado de paredes y de cúpulas. Los cafés eran para Ana lo que el ojo de agua para el beduino. Allí se reunía con los restos de la legión española desperdigados en el revés del planeta. En la cervecería Richmond, en el café Tortoni, en las alturas del Kavanagh, en el Florida Garden, donde me llevó a probar por primera vez *scons* aún calientes, de manteca tierna, levemente perfumados con vainilla.

Allí se hablaba de arte, de política, de libros. El Tortoni, por donde habían pasado y seguían pasando señoritos y bohemios, conservadores y libertarios, ofrecía a los parroquianos sus tangos, sus mesitas de mármol, su *boiserie* y sus vidrios labrados donde se refractaban las luces: uno de los pocos ambientes decimonónicos que perduraban, con el café del Molino, como un refugio en la ciudad cambiante. La mayoría de los conversadores eran, claro, exiliados. Y aunque Ana tenía su muerto en el lado invisible del relicario, mejor guardado que en un nicho; aunque la esperaba en casa una madre clerical y devota, hablaba como si fuera una de ellos. Tampoco, a decir verdad, experimentaba simpatía ninguna por ese militar que se hacía llamar "Generalísimo", cuyo tamaño era inversamente proporcional a su poder devastador y que se había quedado, para su uso exclusivo, con el brazo incorrupto de Santa Teresa de Ávila que tenía asignada la misión permanente (e inconsulta) de protegerlo y bendecirlo.

En aquellos oasis, envuelta en el aroma del café (tanto más sabroso que la bebida misma), aspirando el humo de tabaco rubio que daba la nota dominante en los salones cálidos de un invierno benigno, Ana recuperaba parte de la ciudad que había dejado, e incorporaba otra, siempre abierta a nuevos transeúntes que a menudo se inmovilizaban en nuevos habitantes. Ana —como pude comprobar, años más tarde— hubiera desayunado, almorzado, merendado y cenado sólo con café y con *croissants* (en el lenguaje porteño, medialunas). A diferencia de la metódica doña Julia, odiaba los ritos (para ella, esclavitudes) de la cocina, así como el sabor de los guisos, y en general, de las que consideramos comidas principales. Acaso porque nunca estuvo ni estaría rotundamente anclada en la vida. Acaso porque la vida de color rojo y de textura carnal le interesaba poco, o en algún tiempo de lejanas frustraciones, le había interesado en exceso y prefería no verla. Nunca vería a mi madre disfrutar con plenitud una costilla asada, o los frutos de mar que resaltaban, brillantes, sobre el arroz azafranado de las paellas. Doña Ana había acomodado su paladar a las espumas de los postres, a las tortas y a los *croissants* mientras ensoñaba fumando ella misma (raras veces) o mirando desvanecerse delante de sus ojos, enigmático como un lenguaje cifrado, el humo que exhalaban los cigarrillos ajenos.

El primer empleo que tuvo en Buenos Aires fue como vendedora, en la librería de las grandes tiendas Harrods, sobre la calle Florida. Solía contarlo como un verdadero vía crucis que la había expuesto a todas las pruebas del resentimiento y de la envidia. No le hacían falta, para ser creída, muchos argumentos. Bastaba ver las fotos de aquella época. Bastaba oírla. Ana, con treinta y tres años y traje sastre entallado, crucificada en su belleza. Ana, que tanto después conservaba aún en el acento una suavizada gracia madrileña. Ana, que sabía de libros por haber sido desde la temprana adolescencia una lectora adicta, y por haber puesto ella misma una librería en cuanto pudo hacerse de unos ahorros.

Era digna de ser odiada implacablemente, y así lo hicieron todas las vendedoras rivales, argentinas y extranjeras. La recién llegada fue víctima conjunta de la maledicencia y el mal de ojo, de las burlas por ser gallega (aunque hubiese nacido en la capital de España), y del café siempre quemado que una compañera oficiosa se ofrecía a traerle. Ana, que ya sufría del corazón en un sentido metafórico, empezó a sufrir también del hígado literalmente, y renunció a Harrods, con sus libros contaminados por el odio.

Su siguiente trabajo no fue un empleo, sino un empeño cuentapropista. Ana vendió sus alhajas (salvo la pulsera de los eslabones de oro y el anillo con el rubí) y con el producto de la venta compró tecnología de punta: una máquina de escribir con nombre de arma de fuego: Remington, fuerte, dura y pesada como un caballo de tiro. Contaba con el capital de una ortografía perfecta y una redacción correctísima. Ofreció sus servicios para todo tipo de copias, así como para pulido y puesta en limpio de cartas y documentos. Durante un tiempo vivió de esos trabajos, siempre algo azarosos, hasta que se le presentó una oportunidad insospechada en un rubro que nunca había ensayado: un puesto de vendedora en Depayne, una fábrica de lencería y corsetería. Ya estaba en la empresa cuando aceptó casarse con Antón.

Por años, hasta bastante después de mi nacimiento, Ana fue empleada con sueldo, comisiones y jornada de ocho horas. Luego siguió en el mismo rubro, pero en otra firma y como corredora independiente. El trabajo de mi madre, en la calle, le añadía extrañeza en una época en que pocas señoras casadas trabajaban. A pesar de las horas en transportes públicos, que la llevaban —incómodamente, las más de las veces— a puntos distantes de la Capital y del Gran Buenos Aires, debió de gozar en esa ocupación de una felicidad relativa. Iba y venía por una ciudad que era muchas ciudades, siempre asombrosa. No necesitaba preparar almuerzos ni almorzar ella misma. Podía entregarse sin remordimientos al café con leche espumoso, las mediaslunas, los sándwiches de miga y los terrones de azúcar, hoy desaparecidos de las mesas de los bares. Podía, también, cuando encontraba asiento, leer en los lentos viajes, y hasta tomar notas con una preciosa y nítida caligrafía de letras separadas. En sus libretas, con un desorden de desván antiguo, convivían conjugaciones de verbos en francés con apuntes sobre filosofía de la India y recetas de cocina, poemas y apuntes taquigráficos.

Durante aquellos viajes Ana compraba las revistas que, enrolladas y cuidadosamente envueltas en papel madera, con los extremos abiertos, serían atadas con hilo resistente y enviadas del otro lado del Océano. Fue entonces cuando comenzó a acumular en un armario de casa, como en una despensa de almacén, un pequeño tesoro de regalos que no entregaría nunca. Álbumes forrados en cuero, con relieves que reproducían carretas demoradas entre los pastizales de la llanura, o gauchos de exposición, con chiripá y boleadoras; tabaqueras para los fumadores, cinturones repujados, agendas, bufandas suaves de alpaca o de vicuña, pastilleros de plata o de ónix, comprados en tiendas de regalos típicos: una colección de *souvenirs* que había elegido para los ojos turísticos de esos parientes que no vendrían a visitarla, y que ella —nunca retornada— no les llevaría tampoco. Los obsequios quedaron allí por mucho tiempo, envueltos primero en papel de seda y luego en sus ornamentales papeles de obsequio. Tenían tarjetitas consignando los nombres de sus destinatarios.

Algunas fueron desapareciendo, tachadas por la muerte. Aún conservo dos o tres de estos presentes: una bufanda, cribada en varios sitios por la polilla, un álbum con su carreta que no llega a destino, un pastillero vacío. No sé qué se habrá hecho del resto. Quizás en los años de su desesperación final, Ana decidió desprenderse de ese lastre, como se estaba desprendiendo de su propia vida.

Después de la muerte de doña Julia, Ana perdió interés en esos viajes de trabajo que habían sido también de estudio, de compras y aventuras. El portafolio y la valija con muestras comenzaron a pesarle. En el espejo donde se miraba sólo veía una huérfana vieja y sin futuro. Una tarde volvió a casa desencajada y perdida. Ya no volvería a pisar los andenes de las estaciones del Oeste, me dijo. Ya no haría el papel patético de una eterna recién llegada a todos los países. Desde ese día salió cada vez menos, se encerró en la casa, se fue quedando cada mañana un poco más en una cama siempre deshecha donde era ella, ahora, la que deseaba morir.

La explosión

¿Es posible que en el reverso de un hada se esconda una bruja? ¿Es posible que la casa nueva de un nuevo país se convierta en una centenaria mansión gótica, y se desintegre encima de todos los habitantes que no han querido o no han sabido huir a tiempo?

Fue posible, y todo comenzó con la explosión de la caja en la que doña Ana dormía con un sueño rencoroso e inquieto, como dormirían un par de zapatos rojos, de ante, con horma especial y suela de cuero, con filis de goma y clavos, hechos para bailar flamenco hasta morir sobre un tablao lleno de ojos como claveles lanzados al paso de la Macarena.

Doña Ana, su casa y el país donde había venido a refugiarse de la posguerra española, del duelo y de las pérdidas, de los fracasos materiales y sentimentales, y de la posibilidad de terminar como las tías de Barcelona, cayeron y se pulverizaron juntos, en extraña y perturbadora coincidencia.

Del setenta al ochenta, a partir del Cordobazo que unió a estudiantes, obreros, sindicalistas y todo tipo de militantes políticos contra la dictadura militar de Juan Carlos Onganía en una pasión unánime y plural, la Argentina apostó ferozmente a las utopías, sin contar con sus inquietantes efectos secundarios. Trajo al Viudo de Eva, que se había convertido en el viejo Perón de la Puerta de Hierro, pero también trajo a Isabel, su dama gris como un ratón agazapado, y al ex cabo José López Rega, el Brujo. Los peronismos —tan distintos como el agua y el aceite—, que se habían mantenido juntos a la espera del Gran Ausente, no aguardaron siquiera a que éste pusiera el pie en tierra para ajustar las cuentas. Comenzaron a matarse mutuamente en la autopista Ricchieri, donde se había instalado el palco para recibir al líder. El viejo Perón desautorizaría pronto, desde la Plaza de Mayo, a todos los grupos revolucionarios. La llamada masacre de Ezeiza palidecería ante las detenciones, torturas y asesinatos ordenados luego por el Brujo, jefe de la Alianza Anticomunista Argentina. Pero la Triple A (sigla que antes sólo designaba, en las casas parisinas de alta costura, a tres familias argentinas —Alvear, Álzaga y Anchorena— ricas como los jeques petroleros) pasaría en seguida a ser un tímido ensayo anticipatorio de los campos de prisioneros, los vuelos sobre el río y las anónimas fosas comunes del llamado Proceso de Reorganización Nacional. Para el año ochenta, reinaba ya la paz de los sepulcros en un país donde buena parte de la clase media, gracias al cambio de divisas momentáneamente favorable, había reemplazado la Utopía por las compras duplicadas en Miami o en Brasil.

En el año setenta murió doña Julia, y mi madre se quedó sola.

"¿Cómo sola?", dirán los que no entienden. ¿No tenía un marido, dos hijos, una casa, un hermano que llegaba todos los meses en un pliego epistolar? ¿No tenía clientes, algunas vecinas, algunas amigas y hasta un perro?

Todo aquello, sin embargo, estaba en la superficie sin raíces de la vida de doña Ana. No tocaba a la niña que ella había sido en un país lejano. Nadie, salvo la muerta, podía dar testimonio de esa existencia irrecuperable.

Desde el año setenta al ochenta, Ana empezó a mirarse envejecer. El cuerpo se le desmoronaba y la belleza caía de él como una prenda en desuso que hubiese pertenecido a otra persona. Sufrió una mutiladora operación ginecológica, y otra ocular, de cataratas, que hubiera debido ser sencilla pero que no dio los resultados que se esperaban. Impaciente o mal asesorada por los dentistas, renunció a las prótesis parciales y al resto de su mala dentadura, que había empezado a deteriorarse durante los años de hambre de la guerra. Se quedó sin vista y sin sexo, sin dientes para morder los elementos terrestres. Ya no leía, y la aterrorizaban los espejos. Tuvo miedo de lo que tanto había deseado: volver a España.

¿Cómo volvería, a qué volvería, sin madre, sin salud y sin belleza? Comenzó un tránsito, que sólo se detendría con su muerte, por consultorios de médicos y psiquiatras. En cada uno iba dejando fragmentos de tejidos, piel y mucosas, radiografías de una intimidad cercada y agredida. A cambio, se llevaba frascos y cajas de fármacos —ambivalentes, siempre, entre la droga curativa y el veneno—. En el último año de aquella década, cuando ya no se levantaba por las mañanas, cuando asearse y peinarse se habían vuelto exhibiciones intolerables de un cuerpo incompleto y odiado, doña Ana decidió consumir, de una sola vez, su capital acumulado de somníferos, ansiolíticos, antidepresivos.

Lo hizo justo una semana antes del primer parto de su única hija.

"¿Por qué?", se preguntó la hija, tantas veces.

¿Porque había olvidado la existencia de esa niña, antes amada? ¿Porque la recordaba demasiado y detestaba más bien ese cuerpo lleno y potente, que reproducía la creación del mundo? ¿Porque deseaba destruir destruyéndose, como esas mujeres que se lanzan con el coche y todos sus hijos puestos, rompiendo las barreras, justo en el momento en que el tren pasa? ¿Tienen perdón esas negadoras absolutas, esas medeas que le ofrecen a Dios, enloquecidas de despecho, un banquete de niños descuartizados, clavados en los hierros? ¿Se odian tanto que no desean ser perdonadas, y por eso cometen lo que no se perdona?

Los zapatos habían salido de la caja, pero no para bailar. Saltaron, espasmódicos, aplastando cuanto caía bajo su paso furioso. Se rompieron los tacos, se achicharraron y retorcieron las punteras, como los cuerpos bajo las ruedas del tren. Doña Ana siguió avanzando sobre ellos, arrastrando las suelas quemadas, dejando en el camino briznas de cuero rojo como las entretelas de su carne.

Credo

Nadie podría precisar con exactitud dónde y cuándo se originó la grieta que terminaría rasgando y abriendo, desde los bordes a la tapa, desde el piso al techo, la caja de zapatos y la casa de doña Ana.

¿Qué es una familia?

¿Un sistema ecológico, donde la alteración de cualquier elemento repercute sobre los otros y deja una huella cuya causa en definitiva se desconoce? ¿Una repetición secular de afinidades y de taras? ¿Una sucesión de malas copias que provienen de originales desaparecidos? ¿Una galería de fantasmas que nos espían y se alimentan, parásitos, de las vidas de sus descendientes, en quienes realizan el bien y el mal que no acabaron de consumar en las suyas propias?

¿Qué es una familia?

¿El árbol o la selva a la que no podemos evitar pertenecer, a la que estamos ligados aunque nos desliguemos, el legado que no elegimos y que tampoco logramos desechar porque con él se escribe la materia de nuestros huesos y la médula de nuestros hábitos más profundos?

Creo
En la comunión de los santos,
El perdón de los pecados,

La resurrección de la carne,
La vida perdurable.
Amén.

Así dicen las palabras rotundas que protegen como un escudo a los que esperan encontrar, en la Otra Orilla, sus cuerpos usados redimidos de las marcas, las injurias y las quemaduras del tiempo y la memoria.

Sin embargo, hay otro credo, impuesto por los hechos, que pertenece sólo al reino de este mundo, donde ninguna culpa se pierde enteramente, y todo se transforma sólo a medias.

Creo
En la comunión de los pecadores,
Los pecados imperdonables,
La resurrección en mi carne
Y la carne de mis hijos,
La vida perdurable.
Amén.

Sobrevidas

Fito y Antón, el rojo, sobrevivieron a doña Ana.

Fito —dijo el tío Adolfo— había matado a disgustos a su madre. Si alguien tenía la culpa de la tragedia incalificable que acababa de suceder, era ese monstruo de veinte años que —ya cumplido el servicio militar— aún no trabajaba ni estudiaba, que se había atrincherado en la habitación del centro de la casa (la misma que Adolfo ocupaba a la vuelta de sus viajes) y que allí, cubierto de mugre, con el pelo hasta la cintura, fumaba tabaco y marihuana y arrojaba proyectiles e insultos a todos cuantos pretendían entrar en ese reducto.

Su ingreso en la adolescencia coincidió con el declive de doña Ana. Fito había abandonado paulatinamente los incendios, pero había adquirido otras costumbres, acaso peores. Una mañana, mirando al vacío con los ojos claros abiertos como los de un búho insomne sentenció: "Yo tengo la verdad absoluta y total del Todo Existente". No bromeaba al enunciar esa bravuconada redundante. Empezó a comportarse en consecuencia, con supino desprecio por el resto de la especie humana. Parapetado en un sillón del living comía naranjas, dejado caer las cáscaras al suelo para que las recogieran los otros habitantes de la casa, a quienes les correspondían, por su condición inferior, esos trabajos manuales. O se ubicaba al pie de la escalera y aullaba, con estilo cavernícola "¡¡Hambre!!", para que su madre bajara a prepararle lo que deseaba.

Esa actitud precedió, incluso, al consumo de marihuana, de modo que no podía atribuirse a cualquier tipo de intoxicación inducida. La megalomanía de Fito era natural, no necesitaba de opiáceos ni estupefacientes, y no terminó, como hubiera sido esperable, con la adolescencia. La etapa de la marihuana y por fin, la de la cocaína y la heroína, llegaron después, cuando ya había decidido que el mundo era demasiado miserable para aceptarlo tal como se veía, y se propuso transgredir, entre otros límites, los de la percepción.

Reacio a toda regla o estudio sistemático, indiferente al llamado de profesión alguna, Fito jugaba al ajedrez y leía libros de poetas y filósofos que tomaba de la biblioteca. Pasaba horas de encierro entregado al *heavy rock* y la música clásica, Queen, Emerson, Lake & Palmer, Poulenc, Beethoven, o Stravinsky. Sabía de memoria largos fragmentos de sinfonías, y reconocía las piezas a los primeros acordes. A diferencia del tío Adolfo, jamás intentó reproducir en un instrumento lo que escuchaba.

¿Qué hacía, mientras tanto, doña Ana? Daba por completamente perdida su batalla por Fito o contra Fito. Ella, sin ojos, sin sexo, sin dientes, sin destino, estaba en el primer plano de la absoluta desdicha.

¿Qué pensaba, entonces, Antón, el rojo? ¿No había hecho lo que todos los padres hacían, desde los tiempos bíblicos? *No rehúses la corrección del muchacho, porque si lo hirieres con vara no morirá.* Aunque no era devoto ni lector de los Proverbios, Antón había reprendido y castigado a Fito cuando llegaba del trabajo por las noches, porque tal era su deber de padre, sin convicción, a sangre fría, y sólo por atender a la lista de quejas levantada por doña Ana, que había desistido ella misma de todo intento correctivo.

Mi hijo no está loco.

Dudaba cada vez más de aquella frase dictada por el orgullo o por el terror, que había bloqueado, acaso, el camino de la curación.

Aunque deseaba que su hijo estudiara, e hiciera la carrera que él no había podido, Antón se lo llevó por una temporada con resultado nulo y a instancias de doña Ana, al taller donde pintaba y reparaba coches.

También indagó, compulsivo, con el tacto de un elefante en un bazar, sobre las amistades y compañías del hijo descarriado: las que lo habían iniciado en la droga, las que quizá podrían conducirlo también a la homosexualidad y a toda clase de perversiones.

A Fito le tocó, por fin, el servicio militar. Durante los meses que allí estuvo, aunque eran los primeros y peores años de la Dictadura, no tuvo un incidente, ni una sanción.

Mediaban leguas abismales entre la Marina de la República y el Ejército del General Videla, pero Antón se ilusionó —brevemente— con los poderes terapéuticos de la disciplina, fuese cual fuere el organismo o entidad que la aplicara. Mi madre confiaba también. Sólo el tío Adolfo, ácido, no parecía creer en los milagros. "Tu hermano es como es", me decía en sus cartas, "un loco y un sinvergüenza, pero no un imbécil. Sabe dónde le aprieta el zapato y se cuida para que no lo fusilen. Ya veréis, cuando salga, que todo será lo mismo."

El tío Adolfo tuvo razón y aun se quedó corto.

A la vuelta, Fito empeoró.

Conseguía droga, nadie supo cómo, con dinero robado o facilitado por doña Ana. Cuando estaba en casa, sólo respondía con improperios, recluido en la fortaleza del cuarto central, lleno de papeles de diarios, ropa sucia y montículos de basura. Las raras veces que abría esa puerta en público, era posible ver, a través de la rendija, el colchón sin sábana, quemado de a trechos por puntas de cigarrillo.

Fue en ese período cuando pidió o sustrajo y luego vendió la pulsera de los eslabones de oro y el anillo con el rubí, las únicas alhajas que Ana había salvado de su tesoro de España.

Algún día —era posible pensar— toda la casa ardería en una hoguera a partir de ese colchón perforado por cigarrillos encendidos, y Fito con ella. O escaparía por la tangente, como había escapado siempre de sus volcanes incendiados.

Pero la primera en arder fue doña Ana.

El segundo fue Antón.

Durante mucho tiempo, lo salvó el trabajo. Se iba muy temprano, a las siete y media y rara vez volvía antes de las diez de la noche.

Cuando murió Franco, en la primavera argentina, pensó seriamente en volver a España. No era la primera vez. En realidad, lo había hecho siempre, cada sobremesa de domingo, en los últimos años de mi escuela secundaria. Allí, a los postres, indefectiblemente se planeaba el regreso. Faltaba muy poco. Sólo se esperaba el momento oportuno. Reunir algo más de dinero, pagar cuentas, que cambiara el régimen, terminar una construcción que se había iniciado. Los hermanos, sobre todo el tío Benito, lo reclamaban desde allende el mar, por cartas, en alguna rara llamada telefónica, aunque sin atreverse a cruzar el corredor.

Ana también ansiaba volver. De otro modo, ¿cómo tendrían sentido los regalos cuidadosamente elegidos y pacientemente guardados, uno para cada amigo y cada pariente?, ¿cómo tendría sentido ella misma, que había quedado suelta, extraviado el rumbo, sin majada y desmadejada, hilo perdido de un gran ovillo deshecho?

Sin saberlo, sin confesárselo del todo, Ana y Antón vivían para unos ojos que no podían verlos. Sus vidas se justificarían, cerradas y conclusas, sólo cuando esos ojos las apreciasen, completas, enriquecidas y reintegradas a su matriz originaria.

Sin embargo, cuando el Generalísimo ya había muerto, Fito había concluido (aunque debiendo cuatro exámenes) la escuela secundaria, y su hija la Universidad, Antón se encontró con que no podía volver.

Contaba con cierto dinero, pero también con una mujer enferma y un hijo que en efecto estaba o parecía loco. Su hija se acababa de casar y había hallado, acaso, una patria en su país de nacimiento.

Él también enfermó.

Dejó de trabajar y alquiló el taller, a instancias de doña Ana.

Se le atrofiaron entonces los delicados circuitos que gobiernan el movimiento. Antón, que había hecho gimnasia sueca en la finca de don Alfonso, y se había bañado desnudo en las mañanas de oro y de neblina, sobre el costado suave y bajo de Barbanza, no podía casi dar un paso detrás del otro.

Parkinson, dijeron los médicos.

Para qué dar un paso, si al marinero en tierra le habían echado el ancla.

Para qué dar un paso, si todo lo alcanzable ya se había alcanzado, aun lo amargo, aun la hiel con la que el verdugo del final moja los labios.

Poco después, doña Ana malgastó en un solo día su capital de venenos.

No hubo cosa que lograra consolar a Antón, y entendió que lo había perdido todo en esa jugada que él no había hecho.

Murió unos años más tarde.

Ya no podía caminar. Tenía el cuerpo rígido, penosamente quieto, pero el alma errante se le escapaba a veces hacia la geografía de la infancia. El final llegó una tarde de invierno, poco antes de su cumpleaños. Estaba sentado junto a la ventana, en el mismo sillón donde doña Julia cosía y luego pasaba, una por una, las cuentas del rosario.

Antes, su hermano Benito había cruzado el corredor sólo para despedirlo.

Sobremuertes

Después de su muerte voluntaria, doña Ana desapareció y no fue posible encontrarla en ningún sitio. Esto es lo que se espera que los muertos hagan, o no hagan, puesto que se trata de un verbo en negativo. Nada podía tener de extraño en un país donde tanta gente había desaparecido sin haber llegado tan siquiera a morirse.

Pero con ella el caso era distinto. No había sido arrebatada por la violencia de las armas, o por esa otra forma de violencia, que es la enfermedad. Doña Ana había abierto la puerta prohibida de la renuncia y se había fugado por allí, devolviendo a su Hacedor, como se devuelve un traje mal cosido a un sastre inexperto, la vida que nadie parece dispuesto a entregar con gusto. Por ese despropósito, por haber procedido al revés que el común de los mortales, se había convertido en un ser inclasificable, imposible de ubicar en la geografía simbólica de este mundo y del otro.

Muerto está aquel a quien matan, no el que se va. Muerto está aquel que la Muerte secuestra e intercepta, no el que la busca, jugándose al azar, como quien concierta sobre la pantalla de la computadora una cita a ciegas.

Doña Ana, por lo tanto, se había ido, sin que se supiese a dónde. Por sobre los afectos conocidos y seguros, había elegido el aliento helado de un amante sin cara.

Durante años, pensé que la falsa muerte de mi madre la había llevado, también, a falsos lugares: la triste estafa de un callejón que desemboca en un muro, la balaustrada superflua que mira hacia el vacío, el espejo donde nadie se reconoce. Quizás, simplemente, había quedado atrapada entre dos mundos: ni aquí ni allí, incapaz de saltar al otro lado donde cada uno podrá verse como acaso nos ven los ángeles, con piedad y con alegría.

Durante años, también, doña Ana fue para mí una puerta-trampa en los bajos de la memoria. Una puerta parecida a una grieta por donde pasa el viento glacial de la negación. Canta ese viento sus himnos oscuros en la cara oculta de mis pesadillas y dice no acepto, dice lo que me diste lo devuelvo, lo que recibí no lo quiero. No tendrás paz porque lo que llaman vida es guerra.

Canta y aúlla, enloquecido, ese viento peor que un tornado, brutal como un Atila bajo cuyo soplo no crecerá jamás la hierba nueva. Brama, gime, devasta y seca; todo lo barre, todo lo disuelve. Detrás de esa ráfaga furiosa no queda nada. Desaparece la cara de doña Ana, joven, la que me tenía de la mano y daba de comer conmigo a las palomas, en la Plaza del Congreso. Desaparece la contadora de historias, la que hacía casas de muñecas cuyos habitantes no superaban el tamaño de un dedo pulgar. Se borra la Dama de los Libros, como una escritura en retroceso que devora sus huellas en los papeles blancos. La intérprete de caligrafías, la grafóloga, que adivinaba el misterio de los seres en el grosor, la forma y la estatura de esos trazos vivos, pierde la vista y la memoria. Mientras ella se desintegra y vuelve al origen yo desnazco. Nada soy, porque no debí ser. Doña Ana me arroja al torbellino de la disolución donde todo se escurre, como el agua sucia por un sumidero, junto con los restos de su existencia errónea.

Sin embargo,

Que por mayo era, por mayo,
cuando hace la calor,
cuando los trigos encañan
y están los campos en flor,
cuando canta la calandria
y responde el ruiseñor,
cuando los enamorados
van a servir al amor.

Todos los años, por mayo, en el mes de doña Ana, que en el otro lado del mundo había nacido cerca de la primavera, ella y yo volvemos a tener otra oportunidad.

Este año también, un seis de mayo, una mano pequeña golpeará la celda invisible donde la prisionera sobremuere, emparedada, en el hueco silencioso y atroz de Ninguna Parte.

—Ana, mujer, sal de ahí —dirá una voz dorada y esponjosa, una voz que huele a merengue o a pastel de manzanas, espolvoreado con canela fragante.

—No puedo.

—Eso te crees tú, basta con desearlo.

—¿Y para qué quieres que salga?

—Para estar conmigo.

—¿Y tú quién eres? ¿Mi madre? ¿Mi abuela? ¿Mi bisabuela?

—Claro que no. ¿Ya no me conoces? Soy Asunción.

Doña Ana, seguramente incrédula, se quedará pensándolo.

—¿Tú también estás aquí?

—No en el aquí donde estás tú. Estoy fuera, y hace sol.

—No podré ver el sol.

—Eso supones. Dame la mano, y mira.

Ana le alargará una mano huesuda y larga, y Asunción tomará esa mano entre las suyas algodonosas y blandas como nubes y, créase o no, tirará de ella con los deditos afelpados y doña Ana saldrá, por fin, esta vez, semiciega y parpadeante como un vampiro tembloroso, pero sin pulverizarse como los vampiros cuando la luz los toca, porque los dedos empecinados de su amiga bastarán para protegerla.

—Mujer, qué mal aspecto tienes.

—Son los años.

—No son los años. Es el encierro, es el veneno, es la tristeza. Ven conmigo, y nos pondremos contentas como unas Pascuas.

¿Qué dirán, qué hablarán Asunción y Ana en ese lugar que acaso es el Jardín del Paraíso?

Lo será para Asunción, si tiene plantas desbordantes en las macetas de porcelana o barro, y mantelitos bordados sobre las mesas. Lo será para Ana, si en cada mesa hay una pila de libros, un café con leche tan caliente que abrasa la punta de la lengua y un plato de mediaslunas recién hechas.

—Tendría que buscar a Pepe —dirá tal vez, temerosa y culpable, doña Ana.

—Pero ¿qué vas a hablar con Pepe, si es un niño?

Pepe tiene y tendrá poco más de veinte años, en efecto, y Ana casi setenta. El Cielo es, sin duda, un lugar incongruente, donde muchos hijos superan en edad a sus padres, donde los esposos, los novios o los amantes se reencuentran asombrados, irreconocibles, y una Julieta sobreviviente parece la abuela de un Romeo apenas púber.

—¿Y Antonio? ¿No querrá verme?

—¿Quieres verlo tú?

—No lo sé —suspirará doña Ana—. Si no nos entendimos en la vida…

—Ya verás qué hacer; aquí no nos corre el tiempo.

—¿Y tú qué has decidido?

—¿Con Rafael? Se lo dejo a la primera si es que ella lo perdona —dirá, magnánima, doña Asunción, pensando acaso que ya no volverá el antiguo Rafaeliño, bienhumorado y galante, antes de convertirse en una pesada marsopa.

Se irán las dos, del brazo, como cuando eran mozas, una alta y delgada, la otra redonda y bajita. Serán viejas, pero les brillarán los ojos, y doña Ana, pasito a paso, apoyada en Asunción como una niña con andador, aprenderá a vivir.

Agradecimientos

A Julia Saltzmann, por su lectura y su amistad.

A Paula Viale y Mariana Creo, por el amoroso cuidado que han puesto en llevar al papel cada línea de este libro.

ÍNDICE

Terra Pai

Lengua Madre